구해줘, 글쓰기 ⑴

1차시

현금없는 시대,
디지털화폐 톺아보기

'현금 없는 시대'가 오고 있다.

암호화폐 비트코인 열풍이 불고,

각국의 중앙은행들도 디지털화폐 도입에 속도전을 내고 있다.

디지털화폐 시대에 대해 알아보고, 어떤 새로운 미래가 펼쳐질지,

문제점은 무엇일지 짚어보자.

교과연계 중등 기술가정 교과서 4. 합리적인 소비생활

- **디지털화폐** 현금의 금전적 가치를 디지털 형식으로 저장한 화폐. 디지털화폐를 사용하면 컴퓨터 네트워크상에서 금융 거래를 할 수 있다.

  | 디지털화폐의 종류 |

  전자화폐 컴퓨터나 핸드폰 등 전자기기에 실물이 아니라 정보 형태로 저장된 돈. 예시) 카카오페이

  가상화폐 전자화폐와 마찬가지로 실물 없는 온라인 결제 수단. 특정 서비스 안에서 만 통용된다. 예시) 인터넷 쇼핑몰 쿠폰, 게임 머니 등

  암호화폐 블록체인 기술을 이용해 만든 디지털화폐. 암호화폐 가격은 사고파는 수요와 공급에 따라 끊임없이 변화하며 현금화가 가능하다.

  *블록체인이란 소규모 데이터를 체인형태로 연결하여 분산하여 저장하는 해킹 방지 기술이다.

- **비트코인** 중앙 서버를 거치지 않고 인터넷 사용자끼리 서로 신뢰하며 쓸 수 있는 온라인 화폐 시스템.

- **중앙은행** 한 나라의 통화제도의 중심으로 금융제도의 중추적인 역할을 하는 은행.

- **NFT** 대체 불가능한 토큰(Non-Fungible Token)이라는 뜻을 지니며, 디지털 자산에 별도로 인식한 고유의 값을 부여한다.

- **기축통화** 달러, 엔화 유로 등 국제 금융시장에서 결제나 거래의 기본이 되는 통화

현금 없는 시대,
디지털화폐 톺아보기

01 캐시리스 시대, 디지털화폐를 생각하다

디지털화폐는 넓은 의미로 보면 '전자화된 화폐(돈)' 전체를 말한다. 그렇다면 우리는 이미 디지털화폐를 사용 중이다. 온라인으로 계좌이체를 하고, 체크카드로 결제하면 내 은행 계좌에서 실시간으로 돈이 빠져나가고, 친구들과 먹은 밥값을 카카오페이로 송금하고…. 이때의 ㉠디지털화폐는 전자결제(디지털 결제)는 의미다.

그리하여 우리는 지갑도 없고 현금도 없이 생활하고 있다. 현금을 사용하지 않는 캐시리스(Cashless) 사회라고 해도 과언이 아니다. 물론 이는 우리 사회에만 국한된 현상은 아니다. 2018년 한국은행이 조사한 국가별 현금 결제 비중을 보면 영국은 28%, 미국도 26% 정도밖에 되지 않는다. 우리나라는 19.8%이고, 1661년 유럽에서 최초로 지폐를 발행한 나라 스웨덴에선 무려 13%대로 떨어진다. 여기다 코로나 팬데믹 이후 온라인 거래가 늘면서 현금 없는 시대는 점점 더 빨리 다가오고 있다.

상황이 이러니 각국 정부는 아예 실물화폐를 전자화하는 방안을 고려하기 시작했다. 한국은행은 오는 8월부터 민간기업과 손잡고 중앙은행 디지털화폐(CBDC) 모의실험 연구에 돌입한다. 블록체인 기술을 기반으로 중앙은행이 직접 발행하는 전자적 형태의 화폐다. 중국은 이미 '디지털위안화'를 개발해 전국에서 시범 운영에 들어갔다. 민간에서도 자체적인 디지털화폐를 만들려는 움직임이 일어나고 있다. 비트코인을 필두로 각종 암호화폐가

쏟아져나오고, 페이스북의 '리브라(Libra)'처럼 글로벌기업이 자체적인 디지털화폐를 개발하려 한다.

인간은 언제나 좀 더 사용하기 쉽고 편리한 방식으로 화폐를 다뤄왔다. 여기서 질문 하나. 전자거래가 그렇게 편리하다면 앞으로 현금을 없애고 ⓛ디지털화폐 유일 시대로 나아가는 편이 좋을까? 무조건 환영하기엔 머뭇거려진다. 디지털은 어디든 기록을 남긴다. 나의 소비 데이터가 어딘가에 무분별하게 쓰인다면? 디지털화폐는 사회 구성원 모두에게 친화적일까? 거기에 해킹이나 보안 문제 등…. 그리고 또 다른 질문. 전자거래가 아닌, 화폐 자체를 디지털로 발행한다는 것에는 어떤 의미가 있을까? 그리고 민간기업인 페이스북이 만들려는 디지털화폐를 각국 중앙은행이 반대하는 이유는 뭘까? 디지털화폐 시대의 개막을 앞두고 생각해볼 문제가 너무나 많다.

02 화폐, 인간이 만들어낸 강력한 허구 혹은 환상의 발명품

영화에 종종 나오는 장면이 있다. 상대를 속이기 위한 계략으로 가짜 돈다발을 불태우는 장면. '아, 저 아까운 돈을!' 하다가 위조지폐라는 걸 알고 안도한다. 여기서 잠깐. 똑같은 종이인데 왜 한쪽은 돈이고 다른 한쪽은 그냥 종이에 불과한 걸까? 지폐와 위조지폐의 가치를 가르는 잣대는 '특정 종이=돈'이라는 사회적 약속이다. 오늘도 뭔가를 구매하려고 특정 종이를 냈다면(혹은 내야 한다고 생각한다면) 당신도 사회적 약속에 동의한 것이다. 외국인 관광객이 환전한 여행지의 화폐는 그 공동체의 약속에 동의하겠다는 징표인 셈이다.

인류가 화폐의 개념을 발명한 이래 돈으로 여길 수 있는 '무엇'의 모습은 계속 바뀌어왔다. 고대 인류는 조개껍데기를 화폐로 썼고, 나중에는 구리, 은 등을 거쳐 금을 화폐로 사용했으며, 이는 종이화폐(지폐)로 진화했다. 한 공동체의 사람들이 사회적으로 약속하기만 한다면 무엇이든 돈으로 사용할 수 있다.

그런데 여기서 한 걸음 더 나아가서, 실물이 없더라도 사회적으로 약속하기만 하면 화폐로서의 가치를 가질 수 있다. 야프(Yap)섬 사람들은 아주 옛날부터 이 사실을 알고 있었다. 서태평양 미크로네시아연방에 속하는 야프섬 사람들은 라이(Rai) 혹은 페이(Fei)라고 불리는 돌화폐를 기원후 500년부터 쓰기 시작해 무려 1500년 동안 사용했다. 이 돌화폐는 야프섬에는 없는 화석암을 인근 팔라우섬에서 채굴한 뒤 뗏목으로 실어나른 것이었는데, 어깨에 짊어지기 좋게 돌 가운데 구멍을 뚫은 뒤 나무 막대를 넣어 운반했다. 페이는 크기가 매우 다양했다. 작게는 지름 7㎝, 크게는 지름 3.6m, 두께 50㎝, 무게 4t에 이르는 것도 있었다. 이 돌화폐는 너무 무거워서 옮기기가 거의 불가능했다. 그래서 야프섬 사람들은 페이를 그 자리에 둔 채 '저 페이는 이제 누구 거'라고 약속하는 식으로 거래를 했다. 심지어 카누로 옮기던 중 돌이 바다에 빠져 가라앉아도 그 소유주가 누군지를 모두 인정하면, 유효한 거래수단으로 사용했다.

야프섬의 돌화폐 페이는 실체가 없는 ⓒ비트(bit, 정보량의 최소 기본 단위)가 화폐로서 가치를 가지는 디지털화폐 시대에 재밌는 상징으로 다가온다. 금, 종이, 비트… 어떤 종류의 화폐이든 인간이 만들어낸 강력한 허구 혹은 환상이라는 점에서는 같다.

03 심지어 이제 중앙은행에서도 디지털화폐를 발행한다고?

우리가 사용하는 실물화폐(지폐와 동전)는 대부분 그 나라 중앙은행에서 발행한다. 국가가 가치를 보증하니 사람들은 그 화폐를 믿고 사용한다. 현재 각국의 중앙은행은 화폐를 디지털 방식으로 발행하려고 분주하게 움직이고 있다. 민간에서 발행되는 암호화폐와 달리 CBDC는 중앙은행이 발행하는 법정화폐여서 가치 변동의 위험이 없다.

여전히 디지털화폐를 상상하기 어렵다면 중국의 사례를 보자. 중국은 2014년부터 관련 연구를 시작해 현재 전 세계에서 가장 빠르게 CBDC인 ②디지털위안화를 도입 중이다. 디지털위안화는 지폐·동전 없이 전자장부에 숫자로만 오가는 거래 수단으로, 중국의 중앙은행인 인민은행이 직접 발행한다. 현재 통용되는 위안화와 가치가 같다(1디지털위안=1위안). 중국은 2022년 베이징 동계올림픽 때 외국인들도 디지털위안화로 결제할 수 있게 하겠다는 목표를 세웠다. 최종 목표는 모든 현금을 디지털화폐로 전환해 100% 무현금 사회를 이룩하는 것이다.

디지털위안화 사용방법은 매우 쉽다. 스마트폰에서 인민은행 앱을 켜면, 디지털 지갑에 내 디지털위안화가 얼마나 있는지 표시된다. 화면을 누르면 바코드와 QR코드가 나오고, 마트 직원이 이를 스캔하면 결제가 완료된다. 카드사나 은행 등을 통하는 게 아니라 내 디지털 지갑에서 곧바로 돈이 송금된다. 인터넷 연결이 불안정할 때는 근거리 자기장(NFC)을 이용해 스마트폰끼리 스치기만 해도 송금이 가능하다.

중앙은행이 디지털화폐를 발행한다는 건 어떤 의미일까? 사용자 입장에서는 별 차이가 없어보이지만 국가 입장에서는 매우 큰 차이가 있다. 디지털화폐는 현금과 동일하게 거래되지만 온라인 거래 내역이 중앙은행 서버에 남기 때문에 정부가 이를 실시간으로 들여다볼 수 있다. 개인으로서는 사생활 침해가 우려되지만 정부로서는 범죄, 테러, 뇌물, 불법 이민 등 음지에서 발생하는 불법 자금거래를 차단할 수 있고, 국민의 소비 패턴을 파악하기도 쉬워져 각종 정책을 입안할 때도 상당한 도움이 된다. 종이돈을 발행하고 관리하는 비용 또한 줄일 수 있다.

여기에 중국은 더 큰 그림을 그리고 있다. 디지털위안화를 중심으로 미국 달러의 영향권에서 벗어난 독자적인 국제 결제망을 구축하는 것이다. 달러 패권주의에 균열을 내고 디지털위안화를 새 시대의 기축통화로 끌어올리려는 중국의 시도는 성공할까?

냉정하게
분석하기

제시글을 읽고, 질문에 답하며 내용을 파악해봅시다.

(1) ㉠디지털화폐를 사용해 본 경험이 있나요? 어떤 점에서 편리함을 주는지 적어보세요.

----

(2) ㉡디지털화폐 유일 시대가 안고 있는 위험성은 무엇이라고 지적하고 있나요?

----

(3) ⓒ비트(bit. 정보량의 최소 기본 단위)가 화폐로서 가치를 가질 수 있는 이유는 무엇인가요? 예시를 들어 화폐로서 가치를 지니기 위한 필요 요소는 무엇인지 설명해봅시다.

(4) 중국이 ⓔ디지털위안화를 통해 구축하려는 사회는 어떤 의도가 담겨있다고 볼 수 있는지 글의 내용을 바탕으로 추측해봅시다.

도전, 짧은 글쓰기!

　디지털화폐의 개발이 각국에서 발빠르게 진행되고 있는 이유는 무엇인가요? 과연 현금이 없어지고 디지털화폐 유일 시대로 간다면 어떤 미래가 펼쳐질지, 거기엔 또 어떤 문제가 생길 수 있을지 여러분의 의견을 제시해봅시다. (500자)

든든하게
어휘다지기

다음 빈칸에 알맞은 말을 〈보기〉에서 찾아 적어봅시다.

| 보기 |

국한(局限)되다　　균열(龜裂)　　허구(虛構)　　징표(徵標)　　필두(筆頭)

과언(過言)　　구축(構築)　　계략(計略)

(1) 드디어 (　　　)을 써서 그녀를 쫓아낸 것이 흐뭇해서 나는 웃으며 방으로 들어온다.
　『살과 뼈의 축제』(서영은)

(2) 곳곳에 집강소를 설치함에 있어 순조롭게 되는 곳도 많았지만 그렇지 못한 곳도 남원성을 (　　　)로 더러 있었다. 『들불』(유현종)

(3) 그는 세계 제일의 피아니스트라고 해도 (　　　)이 아니다.

(4) 그들은 섬사람들을 인부로 써서 세 곳의 해문(海門) (　　　) 공사를 했고, 마실 물을 공급하기 위해 급수로를 닦기도 하였다. 『타오르는 강』(문순태)

(5) 시대가 달라지고 있다는 (　　　)를 도처에서 잘 볼 수 있다.

(6) 동시에 왠지 그 이야기는 (　　　)가 아니라 민요섭 자신의 생생한 체험을 형상화한 것이라는 확신이 들었다. 『사람의 아들』(이문열)

(7) 벽에 (　　　)이 생기다.

(8) 오염 문제는 이제는 도시에만 (　　　)된 것이 아니다.

위에서 익힌 어휘 중 3개를 골라서 한 문장씩 만들어 봅시다.

(1)

(2)

(3)

디지털화폐 시대,
빛 뒤의 그늘도 봐야 한다

결제도 산업이다 : 누군가는 돈을 번다

직접적으로 이득을 보는 건 전자결제로 수수료를 버는 기업이다. 우리가 가게에서 신용카드로 결제하면 그 대금이 가게 주인에게 전해지기까지 상당히 많은 기업이 관여하고 수수료를 챙겨간다. 일단 신용카드를 발급하는 카드사가 있고, 카드 한도 등을 확인하고 카드결제를 대신 승인해 주는 일을 하는 VAN(Value Added Network, 전자금융보조) 회사가 있다. VAN사는 카드를 읽는 POS 단말기와 시스템도 판매한다. VAN사가 승인하면 카드사가 대금에서 일부를 수수료로 뗀 후 나머지를 PG(Payment Gateway, 전자결제대행) 회사로 송금한다. PG사는 거기서 또 수수료를 떼고 가게 주인에게 최종 대금을 지급한다. 신용카드로 결제할 때마다 카드사, VAN사, PG사가 돈을 버는 구조다.

이뿐만이 아니다. 요즘은 신용카드나 계좌정보를 스마트폰 앱 등에 미리 등록해놓고 지문인식이나 비밀번호 같은 간단한 인증만으로 대금을 결제하는 '간편결제'가 인기다. 네이버페이, 카카오페이, 삼성페이 등이 바로 그것이다. 이때 시스템(서비스)을 제공하는 카카오나 네이버 같은 핀테크(Fintech : Finance와 Technology의 합성어. 금융과 IT의 융합을 통한 금융서비스 및 산업의 변화를 통칭) 기업은 모두 간편결제 산업이 성장할수록 돈을 번다.

국가와 기업 모두 나의 소비 데이터를 원한다

기업이 디지털 거래를 좋아하는 이유는 또 있다. 바로 우리의 소비 기록을 얻을 수 있기 때문. 디지털 거래의 특성상 개인의 소비행위는 모두 데이터로 저장된다. 커피 한 잔 산 게 뭐 그리 대단한 정보냐 싶지만, 빅데이터의 힘을 몰라서 하는 소리다. 각각의 거래는 사소해 보이지만 하루, 한 달, 일 년 치 소비 데이터를 모아놓으면 그 사람의 소비 패턴과 취향을 파악할 수 있고 성별이나 연령, 주소, 주요 방문지 등 개인정보까지도 알 수 있다. 데이터가 많을수록 기업은 보다 정교한 맞춤형 마케팅 전략을 세워 소비자의 구매 행위를 부추길 수 있다.

유통기업 신세계아이앤씨는 소비 데이터를 활용해 학습시킨 인공지능 수요예측 플랫폼 '사이캐스트'를 실무에 투입했다. 사이캐스트는 수만 개의 소비 데이터를 분석해 대형마트에서 일자별로 어떤 상품이 얼마나 팔릴지 예측하고, 필요한 만큼 자동으로 물건을 발주한다. 나아가 날씨, 가격, 프로모션 등 판매에 영향을 주는 수백 가지 변수를 고려해 상품별 판매량을 예측한다.

국가 입장에서도 소비 데이터는 매우 중요하다. 한국의 질병관리청이 신용카드 결제 내역을 이용해 코로나 확진자 동선을 재빠르게 추적한다는 건 모두가 아는 사실이다. 이에 대한 개인의 사생활 침해 논란은 여전하다. 국가가 CBDC를 발행해서 상용화하면 이러한 사찰·통제는 한층 더 심화될 수 있다. CBDC를 도입하면 정부는 사실상 모든 돈의 거래 현황을 들여다볼 수 있기 때문이다. 불법 현금 거래를 통제할 수 있다는 이점이 있지만, 일반 국민도 사생활 침해를 당할 가능성이 있다. 디지털 거래는 국민에 대한 국가의 통제력을 높인다.

소매업체와 은행은 왜 현금 없는 사회를 원할까?

소매업체도 현금 없는 사회를 환영한다. 현금이 없어지면 사람들이 소비를 더 많이 할 것이라고 믿기 때문이다. 미국 스탠퍼드 대학 연구팀은 현금으로 계산할 때보다 신용카드로 결제할 때, '무언가를 잃어버렸다'고 인지하는 우리 뇌의 특정 부위(측위신경핵)가 통증을 덜 느낀다는 사실을 알아냈다. 이 밖에도 할부가 가능하다는 점, 카드를 사용함으로써 받는 다양한 혜택 등은 소비 활성화에 도움이 될 가능성이 있다.

은행은 어떨까? 화폐가 디지털 형식으로만 존재한다면, 별도의 자산에 투자하지 않는 이상 사람들은 이를 보관할 안전한 장소로 은행을 택할 수밖에 없을 것이다. 너도나도 은행에 돈을 맡기길 원할 테니 은행은 낮은 금리를 제안해도 많은 고객을 유치할 수 있고, 그 돈을 굴려 높은 이윤을 얻을 수 있다. 정부, 기업, 소매업체, 은행… 사실상 거의 모든 경제 주체가 현금 없는 사회로의 이행을 바라는 셈이다.

디지털화폐는 분명 편리한 측면이 있다. 그러나 빛이 있는 곳에는 언제나 그늘도 있다. 편리함을 가능하게 하는 거대한 시스템은 개인이 접근할 수도, 관리할 수도 없다. 보안 문제나 기술적인 오류가 발생하거나, 시스템을 가동할 힘이 있는 주체들의 의도가 개입되면 개인은 속수무책으로 당할 수밖에 없다. 현금이 사라진다는 건, 어쩌면 거대 시스템으로부터 우리의 경제적 자주권을 지킬 수 있는 유일한 수단을 잃는 것일지도 모른다.

꿈틀꿈틀 모습을 바꿔온
화폐의 역사

고대 인류는 조개껍데기로 물건을 사고팔았다는데,
지금 우리는 카드 한 장을 쓱 내밀면 거래 끝이다.
조개껍데기는 어떤 흐름을 거쳐 신용카드로 변했을까?

인류, 화폐를 필요로 하다

원시시대 인류는 화폐 없이도 잘 살았다. 과일을 채집하고 동물을 잡으며 자급자족했으니 물건을 사고팔 필요가 없었기 때문. 그러나 인류가 농사를 짓고 다양한 물건을 생산하는 직업군이 생겨나자, 서로서로 물건을 교환할 필요가 생겼다. 이를테면 신발이 필요한 농부가 수확한 쌀로 구두장이의 신발과 맞바꾸는 일 같은. 하지만 물건의 종류가 다양해지자 모든 물건을 일일이 교환하기란 너무 번거로웠다. 이에 상품의 가치를 측정하고 물건 및 서비스를 편리하게 교환하게 해주는 수단, 화폐가 등장하게 됐다!

* 어떤 물건이 화폐로서 기능하기 위해 꼭 필요한 세 가지 특징
① 가치 척도 기능 : 모든 상품과 서비스의 가치를 화폐로 측정할 수 있어야 한다.
② 가치 저장 기능 : 화폐를 통해 가치를 저장했다가 미래에 언제든지 그것을 활용할 수 있어야 한다.
③ 교환 매개 기능 : 위 두 기능 덕에 화폐와 상품 및 서비스를 맞바꿀 수 있어야 한다.

화폐는 무엇과도 교환할 수 있을 만큼 충분한 가치를 보편적으로 인정받아야 했으며, 대중적으로 쓰일 수 있도록 수량이 많은 물건을 재료로 삼아야 했다. 또 유통될 때 손상되지 않게 성질이 단단해야 했다. 화폐의 역사는 이 조건들을 충족해온 변천사라고 해도 과언이 아니다!

구석기~BC 500년 예뻐서 갖고 싶어! 조개껍데기

구석기시대에는 언뜻 봐도 소장하고 싶은 물건들이 화폐 역할을 했다. 조개껍데기는 아름다운 데다 쉽게 마모되지 않아 인도, 미얀마, 방글라데시, 태국과 태평양 연안까지 여러 문화권에서 최초의 화폐로 등극했다. 한편 중국의 한자 또한 조개를 화폐로 사용하던 시기에 만들어졌기에 돈을 상징하는 한자 '貝(조개 패)'는 조개를 본떠 만들어졌다. 아프리카와 오세아니아 일부 지역에서는 1600년대까지 조개껍데기가 화폐로 쓰였다고 한다.

BC 1800~1701년 인류 최초의 법정화폐 등장!

법정화폐란 나라에서 가치를 보장하고, 통용하도록 강제하는 화폐다. 법정화폐에 관한 첫 기록은 고대 바빌로니아 왕조 시기에 등장한다. 인류 최초의 성문 법전 함무라비 법전에는 계약과 손해배상에 관한 내용이 명시되어 있는데, 귀족이 평민의 눈을 멀게 하면 60셰켈을 지불해야 하고, 노예의 눈을 멀게 하면 그 절반인 30셰켈을 내야 한다는 조항이 그것이다. 여기서 '셰켈'은 은의 계량 단위다. 은이 바빌로니아 왕국의 법정화폐로 사용됐던 것!

BC 600년 문양을 새긴 금속화폐 납시오

동그랗고 반짝이는 금속화폐는 기원전 600년경 소아시아 지방에서 번영한 리디아왕국에서 탄생했다. 리디아 국왕은 금속화폐의 성분, 중량, 크기의 규격을 정하고, 앞뒷면에 사자 머리 문양을 새겨 법정화폐임을 보장했다.

이후 리디아왕국을 점령한 페르시아의 다리우스 1세는 리디아 화폐를 참고해 금속화폐를 제조했다. 대신 금화에 사자 말고 자기 초상을 새겼는데, 이때부터 군주들은 자신의 두상을 돈에 새겨넣었다. 다리우스의 금화는 그리스, 로마, 아프리카, 중앙아시아까지 퍼져나갔고, 무역에서 통용되며 세계 최초의 기축통화 자리에 올랐다.

1005~1023년 종이가 돈이 됐다고?

지폐는 중국의 사천에서 탄생했다. 이 지역은 철로 만든 금속화폐인 철전을 사용해왔는데 이 철전이 무거워도 너~무 무겁다는 문제가 있었다. 이에 송나라 1005년경, 사천 사람들은 육중한 철전을 대신할 가벼운 지폐 '교자'를 고안했다. 거래 액수를 적은 가벼운 종이 영수증만으로 물건을 사고 팔자고 약속한 것이다. 그래서 영수증 규격과 재질을 정하고, 지폐 앞뒤로 화려한 그림과 거래 당사자들만 식별할 수 있는 비밀번호를 새겼다.

1023년, 사천 지방에 아주 편리한 거래 시스템이 자리 잡았단 소식이 송나라 조정까지 들어갔다. 그해 조정은 정식 지폐인 '관교자'를 내놓아 법정화폐로 삼았다. 참고로 중국에서 지폐를 발명한 지 약 600년이 지난 후 서양에서도 지폐를 만들었다. 1661년 스웨덴에서 20kg(!)에 달하는 구리 동전이 너무 크고 무거워 발행한 지폐가 바로 그 주인공.

우리나라의 화폐

화폐에 관한 우리나라 최초의 기록은 기원전 957년 고조선에서 '자모전'이라는 철전이 사용되었다는 내용과, 신라에서 '금은 무문전' 등 금속화폐를 사용했단 기록이다. 다만 이들의 실물은 전해 오지 않는다.

실체가 확인된 우리나라 최초의 화폐는 고려 성종 15년(996년) 발행된 건원중보. 사실 건원중보라는 이름의 화폐는 중국이 건원'이라는 연호를 사용할 때 처음 만들어졌는데, 고려에서 이를 모방해 앞면에는 '건원중보', 뒷면엔 '동국(東國, 우리나라가 중국의 동쪽에 있어서 붙은 이름)'이라고 적어 새로이 제조한 것.

조선시대에는 조선통보, 십전통보, 상평통보를 발행했다. 이 중 제일 유명한 상평통보는 우리나라 화폐사상 최장기간인 약 350년 동안 유통됐다.

광복 이후 한국은행에서 처음으로 만든 화폐는 1950년 한국전쟁 당시 우리 정부가 피난 중이던 대구에서 발행한 1000원권과 100원권이다.

1950년 신용카드 탄생!

1949년, 미국의 사업가 프랭크 맥나마라는 식당에서 당황스러운 경험을 했다. 저녁 식사를 잘 마치고 음식값을 내려는데, 지갑을 열어보니 아뿔싸! 현금이 부족했던 것. 프랭크 맥나마라는 명함을 건네주고 외상을 달며 생각했다. '내가 내야 하는 돈을 카드회사가 미리 서비스 제공자(식당)에게 내주고, 나는 나중에 그 돈을 회사에 갚으면 편하지 않을까?'

신용카드 개념이 탄생한 순간이었다.

일 년 후인 1950년 프랭크 맥나마라는 친구와 의기투합해 최초의 신용카드회사 '다이너스 클럽'을 열었다. 그리고 외상을 했던 식당에 재방문해 카드 가맹점이 될 것을 제안했고, 식당은 이를 받아들였다. 최초의 다이너스 클럽 카드 소지자는 200명 정도였다. 그후 카드의 편리함에 반한 사람들의 가입이 줄을 이어 불과 일 년 만에 회원 수가 4만 명을 넘어섰다. 1953년에는 캐나다, 호주, 브라질, 쿠바까지 사업 범위를 확장하며 신용카드 전성시대가 열렸다!

1990년~ 전자결제 서비스 시작

인터넷이 발달하며 1990년대부터 전자결제 서비스가 보급되기 시작했다. 영국의 금융회사 먼덱스는 1995년 인터넷으로 카드의 잔금을 조회하고 돈을 송금할 수 있는 전자식 신용카드를 내놓았다. 이제는 눈에 보이는 형태가 없는 '디지털화폐'가 대세라는데….

教育

2차시

4차 산업혁명 시대,
학교의 미래는

코로나19로 전국 학교들이 부랴부랴 온라인 개학을 했다.

'교실 없는 학교'가 어쩌면 현실이 될지 모르겠다.

4차 산업혁명 시대, 우리는 "21세기 학생들을 20세기 교사들이

19세기 교실에서 가르치고 있다."

학교의 미래에 대해 생각해보자.

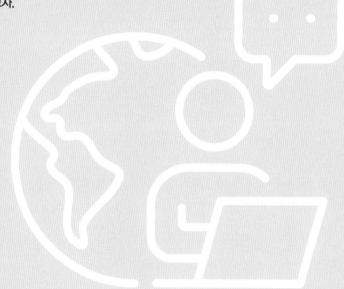

교과연계 중등 기술가정 5. 기술의 발달–기술발달과 사회변화

언택트 시대의 온라인 교육

코로나19로 전 세계가 마비되며 언택트 바람은 더욱 거세졌다.
언택트 시대의 온라인 교육, 그 역사와 특징을 알아보자!

● 1990년대 '온라인 교육 태어나다!'

교육용 CD롬을 이용해, 교실 밖에서 컴퓨터를 활용해 학습할 수 있게 되었다. 1997~98년 인터넷이 보급되며 간단한 문서나 이미지 자료가 온라인으로 제공되기 시작했다.

● 2000년대 '인터넷 강의 전성시대'

인터넷 강의 형태의 이러닝(e-learning)이 시작되었다. 초기 형태는 가상 칠판에 강사가 판서를 하고, 녹음된 강사의 목소리가 나오는 방식이었다. 2004년 이후 강사가 직접 등장하는 동영상 강의가 시작되었다. 이후 기술이 발달하며 자막, 애니메이션 등이 활용되기 시작했다. 나아가 학생들의 출석이나 학습 상태를 점검하는 기초 수준의 학습관리 시스템LMS도 등장했다. 이때부터 EBS나 사설 학원 등의 인터넷 강의 스타 강사가 인기를 끌었다.

● 2010년대 초 '스마트폰 안으로 들어온 교실'

스마트폰의 개발로 M러닝, U러닝 시대가 열렸다. M러닝은 모바일 러닝, U러닝은 유비쿼터스(언제 어디서나 접근 가능한 컴퓨팅)러닝을 뜻한다. 스마트폰을 이용하여 이동 중에도 수업을 듣는 형태로, 기존의 인터넷 강의와 크게 다른 형식은 아니다.

● 2010년대 중반~ '바야흐로 에듀테크(Edutech)의 시대'

4차 산업혁명 시대가 다가오며, '교육(Education)'과 '기술(Technology)'의 융합이 주목받고 있다! 이제는 온라인에서 실시간으로 함께 문서를 작성하고, 인공지능 선생님이 짜주는 교육과정에 맞춰 수준별 학습을 하고, 서로 다른 나라의 학생들이 쌍방향 수업 플랫폼으로 화상 수업에 참여한다.

에듀테크 시대의 교육 플랫폼

● 무크(MOOC)

대규모 온라인 열린교육과정(Massive Open Online Course)인 무크는 대표적인 온라인 교육 플랫폼이다. 어렵게 들리지만 기존 인터넷 강의의 확장판이라고 이해하면 된다. 유명 대학교의 강의를 무료로 온라인에 공개하고, 학생들은 이 수업에 '거의 인원 제한 없이' 수강신청을 할 수 있다. 미국에서는 무크의 강의를 수강하면 대학의 실제 학점으로 인정되는 추세다. 온라인 강의로 진행하지만 수업, 과제, 토론, 시험 등이 기존 학교와 동일하게 진행되고 수료 후에는 이수증을 제공하고 있다. 무크를 제공하는 대표적인 사이트는 코세라(Coursera)나 edX가 있다. 한국에서도 K-MOOC라는 사이트를 운영 중이다.

● 칸 아카데미(Khan Academy)

살만 칸(Salman Khan)이 2006년 만든 비영리 교육 서비스. 살만 칸은 사촌동생에게 수학을 가르쳐주기 위해 유튜브에 한 동영상을 올리는데, 이 영상이 인기를 얻자 '더 많은 사람들에게 좋은 강의를 제공해야겠다'고 마음먹는다. 칸 아카데미에서는 초중고 학생들을 위한 수학, 과학, 예술 등의 동영상 강의를 제공하고 있다. 미국에서는 2만여 개 학급에서 칸 아카데미를 수업에 이용한다.

● 테드에드(Ted-Ed)

테드는 강연자가 15분가량의 짧은 강연을 하는 서비스이다. 테드에서는 초중고 학생들을 위한 테드에드를 제공하는데, 애니메이션 등을 이용한 교육 콘텐츠를 제공하는 서비스이다.

4차 산업혁명 시대,
학교의 미래는

01 지금의 학교는 '비행기 모드'

코로나19로 전 세계에 비상이 걸렸고 학교도 문을 닫았다. 학교가 문을 닫다니 사상 초유의 일이다. 갈팡질팡 논란 끝에 정부는 2020년 4월 초중고 '온라인 개학'이라는 카드를 꺼내 들었다. 대학 역시 '온라인 강의'로 대체했다. 처음에는 학부모, 교사, 학생 모두 대혼란을 겪었지만 나름대로 빠르게 적응 중이다.

당장 이런 일들이 일어나자 교육과 관련해서 먼 미래의 일이거나 그저 상상 속의 일들로 여겨졌던 많은 것이 어쩌면 현실이 될지도 모르겠다는 생각이 든다. '교실 없는 학교, 학교 없는 시대'가 진짜 올지도 모른다고. 물론 그럴 수도 있고 아닐 수도 있지만, 적어도 한 가지는 분명하다. 학교란 무엇이며, 그 안에서 어떤 교육을 행해야 하는지에 대해 완전히 다른 방식의 논의가 필요하다.

그 이유는 분명한 언밸런스 탓이다. '21세기 학생들을, 20세기 교사가, 19세기 교실에서 가르친다.' 지금의 교육을 두고 흔히 하는 말이다. '가나다라'를 익히기 전에 스마트폰 잠금 해제를 먼저 배운, 스마트폰 시대에 태어난 아이들에게 현재의 교육은 어떻게 다가올까?

《교실이 없는 시대가 온다》의 에필로그에는 다음과 같은 얘기가 나온다. 몇 년 전 오스트레일리아의 한 학생에게 자기 나라의 교육환경에 대해 말해 달라고 하자 이렇게 설명했다.

그 학생은 퀀타스(Qantas) 교육 이론을 이야기했다. 나는 "양자(Quantum) 이론이라는 게 무슨 뜻이지?" 하고 물었다. "아뇨, 퀸타스, 항공사 말이에요. 이 항공사는 모든 디지털 기기의 전원을 끄게 하고 비행하는 동안 나를 아무것도 못하게 묶어두죠. 나는 조종사가 나를 목적지까지 데려가주기를 바랄 뿐이고요. 비행기가 착륙할 때까지 기다려야 해요. 그런 후에야 디지털 생활로 돌아올 수 있죠."

학교가 디지털 세계를 따라잡지 못하고 있음에 대한 통찰이다.

아마존에서는 노동자를 감시하고 생산성이 낮은 직원을 해고하는 인공지능 평가 시스템을 도입했다. 뿐만 아니라 노동자들이 담당하던 창고의 물류 배달을 기계가 대신하게 되면서, 인간이 기계에 대체되기 시작했다. 세계경제포럼은 지금의 10세 청소년 중 68%가 지금은 존재하지도 않는 직업을 갖게 될 거라고 말한다. 중요한 것은 우리의 교육이 다가올 미래를 대비하지 못한 채, 나중에는 기계에 밀려 쓸모없어질 게 뻔한 지식 암기에 시간을 투자하고 뇌의 용량을 모두 채울 것을 요구하고 있다는 점이다.

새로운 시대가 오면, 교실이 아예 사라질까? 기술이 학교(와 교사)를 완전히 대체할 수 있을까? 지금 학교란 무엇이고, 어떤 교육을 해야 할까? 패러다임을 전환하고, 막연했던 논의를 현실화함으로써 미래를 대비하는 게 옳지 않을까?

02 온라인 교육, 교실이 사라진다?

교실과 교사의 역할 변화를 넘어, 우리는 학교가 아예 사라진 미래를 상상할 수도 있다. '하버드보다 더 들어가기 힘든 대학'으로 유명세를 탄 미네르바스쿨에서는 모든 수업이 온라인으로 진행된다. 교실이 사라지는 시대가 정말 도래할까?

미래가 어떻게 될지 예언하기는 어렵지만, 온라인 교육의 현주소를 짚어보는 건 도움이 될지도 모르겠다. 온라인 교육이라고 하면 강사가 일방적으로 강의하는 인터넷 강의가 가장 먼저 떠오른다. 이러한 일방향 수업은 대면 강의와 별반 다를 게 없고 오히려 집중하기 어렵다는 단점이 있다. 요즘은 화상 통화를 지원하는 줌(ZOOM)이나 행

아웃 등의 플랫폼을 이용해 실시간으로 수업을 진행하는 쌍방향 수업도 한다. 교사와 학생이 영상과 음성을 통해 실시간으로 소통한다. 특히 대학에서 쌍방향 수업이 많이 제공되었는데, 직접 대면하는 것보다 심리적 부담이 줄어서인지 학생들이 채팅을 통해 교수에게 질문을 하는 등 수업 참여도가 높아졌다고도 한다.

뿐만 아니라 자료 업로드나 그룹 채팅이 가능한 밴드·클래스팅 등의 플랫폼을 이용해 수업 자료나 과제용 파일을 공유하고, 구글 공유 문서를 만들어 실시간으로 함께 과제를 해나가는 팀 프로젝트도 있다. 교사들은 온라인 LMS(학습관리시스템)를 이용하여 출석과 과제 제출, 나아가 학습 이력이나 성적, 과제 피드백 등을 관리하기 시작했다. 처음에는 불편했지만 한번 적응하자 데이터 관리가 간편하고 영구적이라 좋다는 긍정적 평가가 잇따랐다.

물론 크고 작은 문제도 있었다. 일방향 온라인 수업을 제공하는 서버인 EBS나 클래스팅 등 플랫폼이 다운되기도 했고, 출석만 해놓고 게임을 하는 학생들도 있었다. 과제 제출로 출석을 갈음하기도 하고, 일정 기간 안에 수업을 다 들으면 출석으로 인정해주는 방식을 악용해 수업을 듣지 않고 출석만 하는 편법도 일어났다.

그렇지만 이러한 문제 때문에 '온라인 교육은 완전히 잘못되었다'라고 말하기는 어렵다. 교실에서 교사의 눈을 속이는 것은 얼마나 쉬운가? 수업에 집중하지 않고 듣는 체하거나 과제를 대충 베껴오는 일은 대면 강의에서도 똑같이 할 수 있다.

온라인 개학을 통해 우리가 확인한 것은, 온라인 교육의 관건이 '수업이 온라인이냐 아니냐'가 아니라, '교사와 학생들이 얼마나 디지털 학습에 익숙하고, 이를 학습 활동에 긍정적으로 활용하느냐'에 있다는 점이다.

온라인 교육의 많은 이점에도 불구하고 전문가들은 학교라는 공간은 사라지지는 않을 거라고 말한다. 특히 초·중·고등학교는 단순히 지식을 배우는 공간이 아닌 친구를 만나고, 사회성을 기르고, 교사의 가르침을 통해 한 사람의 인격을 형성해가는 공간이기 때문이다. 그럼에도 앞으로 학교의 모습은 여러 가지 면에서 큰 변화를 겪게 될 것으로 보인다.

03 아이들은 대학과 직장을 위한 '교육게임'에 몰리고 있다

입으로는 교육의 본질에 대해 말하지만, 솔직히 지금의 학교는 직업 양성소나 다름없다. (초등학교는 조금 다르겠지만) 학생들이나 학부모, 혹은 교사들에게 학교를 다니는 이유나 보내는 이유, 있어야 하는 이유를 물으면 대부분 대학을 가기 위해, 궁극적으로는 직장을 얻기 위해서라고 말한다. 그래서 명문대 진학을 위해 표준적인 성적을 성취해내는 것이 목표다.

학교는 학생들의 관심사나 열정에는 별 관심이 없다. 표준 교육과정에 맞추어 학년별로 알아야 할 교과 지식을 잘 습득했는지의 여부에만 관심을 둔다. 성적은 학생의 우수성을 평가하는 표준이다. 그리고 학교는 부단히 '평균' 혹은 '평균 이상'의 학생을 길러내려 노력한다. 이때 평균을 규정하는 잣대는 점수화된 성적이다. 특히 중고등학교의 경우 상급학교 진학 성과가 가장 중요한 목표다. 성적과 진학을 기준으로 학생의 학업성취 여부를 가늠하고 있는 현실을 누구도 부정할 수 없을 것이다.

더는 학습이 보람차지 않고 따분하게 느껴지자, 그게 내가 하는 일에 나타나기 시작했다. 나는 적응해야 한다는 걸 깨달았고, 그래서 점수(평점), 득점(성적), 레벨(학년), 승패(졸업과 중퇴)를 두루 갖춘 이른바 '교육게임'에 임하는 법을 재빨리 익혔다. 이 교육게임에서 내가 선택한 캐릭터는 '암기자'였다. _《교실이 없는 시대가 온다》

물론 여기서 말하는 암기재능, 암기자라는 의미가 암기 그 자체만을 뜻하지는 않겠지만, 어쨌든 '생각하는 법' 혹은 '창의성'과는 거리가 있다.

㉠과거 산업화 시대에는 이러한 학습재능, 암기재능이 필요했을지 몰라도 지금은 다르다. 컴퓨터 등장 이전에는 암기를 통해 다양한 지식을 소유한 사람, 성실하게 매뉴얼을 숙지한 사람을 높이 평가했다. 하지만 지금은 이미 어마어마한 지식과 정보를 손안에 항상 쥐고 있는 시대다. 1997년 7차 교육과정은 이러한 시대상황을 담아내고자 '자율성과 창의성'을 키우는 데 역점을 두는 한편, '진로를 개척하고 새로운 가치를 창조하는 사람'을 인재상으로 내걸었다. ㉡디지털 시대에 걸맞은 교육 이념인 셈이다. 하지만 현실의 학교 교육

은 제자리걸음이다.

4차 산업혁명의 도래로 산업부문 간의 융합이 전 부문에서 일어나고 있다. 인공지능의 아버지로 불리는 시배스천 스런은 "머지않아 IT 기업이 자동차 산업 피라미드의 정점에 군림할 것이다"라고 했다. 자동차 안에서 사용자가 다양한 서비스를 이용할 수 있도록 IT 기업이 발 빠르게 움직이고 있으며, 자동차 관련 업체들 또한 IT 박람회에 대거 몰리며 자동차와 IT의 융합을 모색하고 있다. 그 어느 때보다 창의성과 자율성이 필요한 시대이지만, 여전히 우리 아이들은 표준화된 점수와 성적이라는 올가미에 갇혀 있다.

04 감성, 기계와 맞설 유일한 무기

2018년 대한상공회의소는 100대 기업이 선호하는 인재상을 발표했다. 1위는, '소통과 협력'에 능한 사람이었다. 10년 전에는 창의성과 전문성이 강조된 것과는 사뭇 다르다. 이 제는 뛰어난 능력을 지닌 개인보다 함께 문제를 해결해 나갈 수 있는 사람을 요구한다는 뜻이다. 원활한 소통과 협력은 인간에 대한 이해와 배려에서 출발한다. ⓒ4차 산업혁명 시대에 오히려 인성 교육, 인문학과 감성 교육이 중시되는 이유이다.

4차 산업혁명이라는 표현을 대중화시킨 다보스 포럼의 클라우스 슈밥 회장 역시 미래 사회에는 감성 지능의 역할이 중요해질 것이라고 했다. 타인의 마음을 읽고 공감하는 힘, 타인을 배려하고 협동하는 힘, 감성 지능이야말로 4차 산업혁명 시대에 기계와 맞설 수 있는 인간의 유일한 무기다. 로봇이 갖지 못한 것이고, 결코 가질 수 없는 능력이기 때문이다.

인문학이 찬밥 취급받지만 인성과 감성 교육을 위해서는 무엇보다 인문학적 교육이 필요하다. 인문학은 사람을 알고, 사회를 읽는 힘을 길러준다. 이를 뒷받침하듯 구글은 2011년 6000명 신입사원 중 5000여 명을 인문학 전공자로 뽑았다. 스티브 잡스 또한 미래를 선점하려면 기술과 인문, 하드웨어와 소프트웨어를 융합시켜야 한다고 강조했다.

결국 우리는 기술에 대한 이해와 타인에 대한 관심, 나를 둘러싼 사회에 대한 비판적 사고력을 바탕으로 현실의 문제를 해결해 나가는, 그래서 '더 살기 좋은, 더불어 살기 좋은 세상을 만드는' 미래 인재들을 길러내야 한다. 취업을 위한 교육이 아니라 인간을 인간답게 하는 교육, 그래서 널리 사람을 이롭게 할 수 있는 교육, 미래의 교육이 나아가야 할 바이다.

우리는 불안감 속에 살고 있다. 미래는 우리에게 그 무엇도 약속하지 않는다. 68%의 학생들이 지금은 존재하지 않는 일을 하며 살게 된다는 말은 역으로 지금 우리가 배우는 모든 지식이 쓸모없는 것일지도 모른다는 말이다. 우리에게 필요한 것은 '미래에도 살아남을 일자리'를 구하기 위한 교육이 아니다. 모든 학생이 스스로에 대한 자신감을 갖추고 두려움을 넘어 다가올 미래를 당당한 자세로 맞이할 수 있도록 힘을 길러주어야 한다. 어떠한 미래이든 절대 변하지 않는 진리는, 인간은 다른 사람과 더불어 산다는 것이다.

지식의 중요성을 강조했던 미래학자 앨빈 토플러는 "21세기의 문맹은 글을 읽고 쓸 줄 모르는 사람이 아니라, 배우고, 배운 것을 일부러 잊고, 새로 배우는 것을 할 줄 모르는 사람"이라고 말했습니다. _《미래 교육 미래 학교》

교실이, 교사가, 학교가, 교육과정이 어떻게 변화할지는 알 수 없다. 그럼에도 인류의 '교육'은 결코 끝나지 않을 것이다. 인간은 늘 앞서 살아간 존재들에게서 삶의 지혜를 배워 왔으니까. 그러므로 교육에 대한 지금 우리의 논의 역시 제 방향을 찾아나갈 것이다.

memo

냉정하게
분석하기

제시글을 읽고, 질문에 답하며 내용을 파악해봅시다.

(1) 코로나19 시대에 '지금의' 학교는 어떤 문제에 맞닥뜨리게 됐다고 지적하고 있나요?

----

(2) 온라인 교육의 긍정적 측면과 부정적 측면을 구분하여 설명해보세요.

----

(3) ㉠과거 산업화 시대와 ㉡디지털 시대의 교육이 가진 가장 큰 차이점은 무엇인가요?

(4) 100대 기업이 선호하는 인재상은 어떻게 변해왔나요? ㉢4차 산업혁명 시대에 오히려 인성 교육, 인문학과 감성 교육이 중시되는 이유는 무엇인지 인재상의 내용을 참고로 설명해봅시다.

거침없이
쓰기

도전, 짧은 글쓰기!

코로나19로 인해 학교의 모습은 어떻게 바뀌었나요? 바뀐 학교 교육의 장단점을 평가하고, 앞으로 나아가야 할 학교 교육의 모습은 어떠해야 할지 시대가 요구하는 인재상의 내용을 바탕으로 의견을 제시해봅시다. (500자)

든든하게
어휘다지기

빈칸에 알맞은 말을 〈보기〉에서 찾아 적어봅시다.

보기	초유　　악용　　편법　　관건　　양성소　　여부
	숙지　　대거　　일방적으로　　영구적　　갈음하다

(1) 그는 국내 대학 (　　　)로 공개 구직을 했다.

(2) 과거에는 사람들이 소금이나 후추로 화폐를 (　　　)하여 사용하기도 했다.

(3) 그 음악원은 그동안 우수한 연주가들을 (　　　) 배출한 것으로 유명하다.

(4) 자율적인 시민을 어떻게 육성하느냐가 민주주주의 발전에 가장 큰 (　　　)으로 대두
된다.

(5) 법을 교묘하게 이용하여 사기를 치는 것과 같은 (　　　) 사례가 종종 발견된다.

(6) 즐겁고 건강한 해외여행을 위해서는 여행지에 대한 충분한 사전 (　　　)가 필요하다.

(7) 그는 자동차 정비 기술을 배우기 위해 (　　　)에 들어갔다고 한다.

(8) 현재로서는 그의 참석 (　　　)가 불투명한 상태이다.

(9) 그는 성공을 위해서는 (　　　)을 써도 괜찮다는 비뚤어진 생각을 가지고 있다.

(10) 납 중독은 신경계에 (　　　)인 손상을 입히기도 한다.

(11) 이번 경기는 우리나라의 (　　　)인 승리로 끝이 났다.

위에서 익힌 어휘 중 3개를 골라서 한 문장씩 만들어 봅시다.

(1)

(2)

(3)

세상에 이런 학교가?
세계 곳곳의 다양한 학교들

네덜란드 스티브 잡스 초등학교
Steve Jobs School

"요즘 애들 다 아이패드 보잖아요. 공부도 아이패드로 하는 게 좋죠."

학교 이름에 뜬금없이 '스티브 잡스'라니? 애플 기기와 기술을 적극적으로 활용하는 학교라서 그렇다. 4~12세 아이들이 다니는 스티브 잡스 학교에는 특이하게 담임교사도, 학년 구분도 없다. 학생들은 입학하면 교과서가 아니라 교육용 아이패드를 지급받는다. 아이패드 안에는 학생의 수준에 맞는 학습 프로그램이 들어 있고, 이를 토대로 맞춤식 교육이 진행된다. 부모와 교사는 아이패드 어플로 학생들이 하루 동안 어느 과목을 몇 시간 동안 공부했는지 볼 수 있다.

학교는 오전 7시부터 오후 6시 30분까지 열려 있지만, 특정 시간에 교실에 나오면 출석 처리된다. 방학 기간도 학생들이 직접 원하는 시기에 정한다. 그래서 학생들은 온라인에서 더 많이 만나게 된다. 학생들은 아이패드에서 자신의 아바타로 화상통화를 통해 소통한다. 물론 학교 안의 여러 다양한 부속 시설물인 수학의 방, 체육관, 테크놀로지 연구소 등에서 직접 만나서 어울리고 활동도 한다.

스티브 잡스 학교는 시대에 맞게 디지털 기술을 적극 활용하지만 모든 학생을 꼭 디지털 전문가로 길러내지는 않는다. 다만 학생들의 학교생활을 디지털 세상에 세세하게 보관해 언제든 남은 기록을 활용할 수 있도록 한다.

영국 링우드 슈타이너 초등~중등학교
Ringwood Steiner School
"예술이야말로 제일 좋은 교육 방법이라고 생각합니다."

링우드 슈타이너에서는 모든 교과를 예술을 도입해서 가르친다. 이를테면 수학 문제를 풀 때 연극을 통해 흥미를 끌어내는 식이다. 아이들의 주의가 산만해지면 노래와 율동으로 환기하고, 수업이 끝나면 느낀 점을 동화로 표현한다. 배운 내용을 예술로 표현해내는 것이 학생들의 성장에 도움이 된다고 믿기 때문이다.

오전에는 정규 교과목을 공부한다. 특이하게도 3~5주 동안 한 과목만 집중적으로 공부한다. 이 기간이 끝나면 또 다른 과목을 파고든다. 오후에는 주로 무용과 음악, 미술 같은 예술 수업을 한다. 이 학교에는 교과서가 없다. 학생은 배운 내용을 스스로 정리한 노트를 모아 나만의 교과서를 만든다. 수업을 자기 것으로 소화하는 셈이다. 나만의 교과서를 만들면서 학생들은 학습 내용을 설명하는 법을 익히고, 수업에 적극적으로 참여하는 태도를 배운다.

이곳에서는 반이 정해지면 한 교사가 졸업할 때까지 계속 담임을 맡아 아이들과 지속적으로 교류한다. 시험이 없는 대신 개인별 학업성취도를 상세하게 작성하고, 학생 개인의 개성을 중심으로 기록한다.

태국 무반덱 초등~중등학교
Moo Baan Dek
"교사와 학생은 모두 가족이에요."

무반덱 학교의 학생들은 가정에서 학대를 받아 집을 나온 아이들이다. 이곳은 단순히 학교가 아니라 교사가 학생과 같이 살며 아이들을 보호하는 공간이다. 예닐곱 명의 아이들과 교사가 한 가정을 이루고, 이 가정을 중심으로 학교가 운영된다. 4~16세 학생 150명 정도가 어른들과 함께 공동체 생활을 한다.

오전에는 태국어, 영어, 과학과 수학 같은 교과 과목을 배운다. 수업 시간에 누워도 되고, 음악을 들으면서 공부해도 된다. 또한 수업에 들어갈 자유가 있듯 수업에 들어가지 않을 자유도 보장한다. 수업에 참여하지 않으면 학교 시설 보수를 돕거나 놀러간다.

오후에는 실습 위주의 수업을 한다. 약초의 효능에 대해 알아보는 전통 생활의학이나 직조공예, 목공예 등 다양한 커리큘럼 중 원하는 것을 골라 듣는다. 무반덱 학생 다수는 직업학교로 진학하는데, 실습 교육은 진학을 준비하는 과정이 된다.

무반덱에서는 공부를 시작할 시기를 아이들이 직접 선택한다. 나이가 들었어도 공부할 마음이 생기지 않았다면 기다려 준다.

서울 오디세이 고등학교
"1년 동안 자신의 미래 그리기"

오디세이에서는 영어, 수학, 한국사 등 일반 교과를 배우는 동시에 다양한 활동을 한다. 공통 학습 과정으로는 여행, 자치회의, 기획 및 프로젝트 활동, 멘토와의 만남 등이 있다. 선택과정으로는 공방작업, 문학/철학, 시민참여/국제협력 등이 있다. 학생의 견문을 넓히고 인생을 계획하는 힘을 길러주는 과정이다.

고등학교 1학년 학생을 대상으로 한 학교로, 입시 위주의 교육에서 벗어나 학생이 자기 미래를 주체적으로 그려나갈 수 있도록 돕는다. 1년을 수료한 뒤에는 일반 고등학교의 1학년이나 2학년으로 복학한다.

다양한 학습 과정이 서로 연계되어 통합적인 학습이 가능하다. 수업 중에 교사는 학생에게 계속 질문을 던져 아이들이 스스로 생각하고 행동하도록 이끈다. 등하교시간과 수업, 방학 등의 학사일정과 수업료는 일반 고등학교와 같다. 중학교 3학년 학생이라면 누구나 지원 가능하다.

미국 메트 고등학교
The Met High School

"우리는 실습을 해요. 이런 게 진짜 공부죠."

메트 고등학교는 미국의 전형적이고 획일적인 교육에 적응하지 못하는 아이들을 위한 곳이다. 공립학교지만 일반적인 학교들과는 공통점이 거의 없다.

이곳의 가장 특별한 제도는 인턴십이다. 학생들은 각기 원하는 직업군을 골라 일주일에 두 번씩 인턴으로 일하는 곳으로 출근한다. 인턴쉽 장소는 병원, 출판사, 광고회사, 농장, 자동차 정비소 등 다양하다. 학생들은 일하는 곳에서 직업 전문가인 멘토로부터 업무 내용을 배운다.

메트 고등학교에는 전통적인 시험이 없다. 대신 학생들이 매주 자신의 학습일지를 제출해 평가를 받는다. 졸업할 때는 학교생활 전체에서 배운 내용을 정리하는 발표회를 연다. 공립인 메트 고등학교의 학비는 전액 무료다.

스페인 기반, 5대륙 12여 개국 몬드라곤 팀 아카데미 대학
Mondragon Team Academy

"국제적인 비즈니스 맞춤형 교육"

몬드라곤 팀 아카데미는 교수도, 시험도, 수업도 없는 대학이다. 학생들은 교양이나 전공 수업을 듣는 대신 팀을 꾸려 스스로 비즈니스 프로젝트를 기획하고 실행한다. 팀에서는 일 년에 약 20개의 프로젝트를 진행한다.

학생들은 프로젝트를 진행하며 실제 비즈니스 고객과 투자자를 만난다. 학생들과 팀 코치교수 역할은 모두 랩(Lab)이라고 부르는 협업 공간에서 활동한다. 랩에는 지정석이 없으며 원하는 자리에 앉으면 된다. 각 자리에는 컨퍼런스 콜을 할 수 있는 전화기가 배치돼 있어 필요하다면 언제든 다른 나라의 비즈니스 고객과 통화할 수 있다.

몬드라곤 팀 아카데미에서는 2주에 한 번씩 팀 전체가 모여 대화 시간을 갖는데, 이를 중요한 교육 활동으로 본다. 현재 진행 중인 사업이 어떤지, 새롭게 무엇을 배웠는지 이야기를 나누며 자신의 능력을 점검하고 다음 사업을 준비하는 밑거름으로 삼는다.

몬드라곤 팀 아카데미의 졸업생 50% 정도가 본인들이 진행하던 사업을 계속 이어나가 스타트업을 창업하고, 나머지 50%는 글로벌 기업이나 기존 기업에 들어간다고 한다.

기숙사 7개국 미네르바 대학
Minerva Schools
"다양한 문화 체험, 효율적인 온라인 강의"

미네르바 대학은 합격률이 2%대로 하버드4~5%보다 입학하기 어렵다고 소문났다. 입학할 때 SAT, ACT, TOEFL 같은 시험을 보지 않고 지원자 개인을 파악하기 위한 자체 테스트를 한다. 특정한 답이 없는 문제에 자기 생각을 적는 논술 시험을 바탕으로 창의성, 수학, 이해, 논리, 글쓰기, 표현 능력을 점검한다고.

미네르바 스쿨은 캠퍼스가 없다. 대신 미국, 영국, 독일, 아르헨티나, 인도, 한국, 대만 7개국에 기숙사가 있으며 학생들은 여러 나라를 필수로 옮겨다니며 수업을 들어야 한다. 국제화 시대에 맞게 학생들이 다양한 문화를 체험하게 하고 다양한 사고력을 길러주기 위해서다.

학생들은 강의 시간에 한곳에 모일 필요가 없다. 모든 강의는 100% 온라인에서 열린다. 수업에 앞서 학생들은 강의 내용을 미리 공부하고, 교수와 온라인에서 토론하며 공부한다. 학생들은 일반 강의뿐만 아니라 실리콘밸리 기업인 아마존, 우버, 애플 등에서 프로젝트를 수행하며 역량을 기른다.

미네르바 스쿨 교수들은 학생의 학업 성취도를 점수로 평가하지 않는다. 대신 학생의 발표, 과제, 프로젝트 등을 점검해 구체적인 피드백을 준다.

법과
사회

3차시

반복되는 개물림 사고,
문제가 뭘까

경기도 남양주에서 50대 여성이 개에 물려 사망하는 사고가 있었다.

사람이 개에게 물려 사망한 사고는 최근 5년 이내

연평균 2000건 넘게 발생했다.

하지만 아직 예방과 사후 처벌에 대한

사회 제도가 제정되어 있지 않아 문제다.

개물림 사고 재발 방지를 위해 무엇을 해야 할까?

교과연계 고등 생활과 윤리 : 2장 생명과 윤리 02 생명 윤리

● 인간에게 '인권'이 있듯 동물에겐 '동물권'이 있다?

동물권 혹은 동물의 권리란 동물도 하나의 생명체로서 고통 받지 않고 살아갈 수 있는 권리가 있다는 말이다. 또 동물 권리 옹호자들은 인간의 기본권만큼은 아니지만 동물에게도 '도덕적 권리'가 있다고 주장한다. 닭이 날개를 퍼덕이며 모래목욕을 하고, 돼지가 햇볕을 쬐며 땅을 파듯 동물들이 타고난 습성대로 자신의 본래적 가치를 발현(發現. 속에 숨겨져 있는 것을 밖으로 드러나게 함)할 도덕적 권리가 있다고 보는 것.

● 동물복지와 동물권리, 동의어 아니다

인간과 동물의 관계에서 동물을 보다 존중해야 한다고 여기는 사람들 사이에도 견해 차가 있다. 동물을 보호의 대상으로 여기고 동물의 복지를 추구하는 입장과, 동물의 권리를 존중하는 차원에서 행동해야 한다는 입장으로 나뉜다. 두 입장의 대별점은 인간을 위한 동물 이용을 허용할 것인가의 여부다. 동물권리론자들은 동물을 도구로 사용해서는 안된다고 주장한다. 동물실험뿐 아니라 가혹한 축산업에 의존하는 육식문화, 동물을 사고 파는 행위, 야생동물의 생존구역을 침범하는 인간 활동 등 동물의 희생을 강요하는 모든 종류의 인간활동을 중단해야 한다는 것이다.

한편 동물복지를 추구하는 사람들은 인간을 위해 동물을 이용하는 것을 문제 삼지 않는다. 이들은 개별적이고, 가학적이고, 아무 이유 없이 자행하는 잔인한 행동을 비판하고, 나아가 가축들의 고통을 줄이기 위한 복지형 축산 등을 통해 동물의 복지를 증진시켜야 한다고 주장한다. 동물복지와 동물권리 개념을 뒤섞어 사용하지만 개념 차이가 있다.

● 동물보호법

동물보호법은 "동물에 대한 학대행위의 방지 등 동물을 적정하게 보호 · 관리하기 위하여" 만들어진 법이다. 우리나라는 1991년 제정되어 왔으며, 2021년 1월 9일 일부 개정안이 통과됐고, 같은 해 2월 12일부터 새로운 동물보호법이 시행 중이다.

주요 개정 내용을 살펴보면 다음과 같다.

동물 유기하면 이제는 벌금형: 매년 유기로 인해 버려지는 동물이 10만여 마리에 달하지만 적발이 어려운 상황. 유기 행위 적발건수가 2018년 한 해 15건 정도였고, 설사 단속된다 하더라도 과태료 처벌에 불과했다. 이번에 동물유기행위에 대한 처벌이 과태료에서 벌금형으로 전환된다.

동물을 죽이는 학대행위, 최대 3년 이하의 징역 또는 3천만원 이하의 벌금 : 날이 갈수록 잔혹한 동물학대 범죄가 증가하고 있다. 그동안은 동물학대 행위는 대부분 벌금형에 그치는 솜방망이 처벌이었다. 동물학대에 대한 처벌이 3년 이하의 징역 또는 3천 만원 이하의 벌금으로 상향되었다.

반려동물 판매월령과 등록월령 일치 및 판매시 등록 의무화: 반려동물의 판매월령(2개월)과 등록월령(3개월)을 일치시키고 등록동물을 판매할 때 구매자 명의로 동물등록신청을 한 후 판매하도록 동물판매업자를 대상으로 한 영업자의 준수사항이 개정되었다.

● 윌리엄 호가스, 〈잔인성의 네 단계〉

〈잔인성의 네 단계〉(1751)는 윌리엄 호가스(William Hogarth)의 연작 판화이다. 윌리엄은 이 작품에서 동물을 학대한 톰 네로의 악행을 고발하고 있다. 어린 시절 소년들이 고양이와 개 같은 작은 동물을 괴롭힌다. 그 중에 잔인하게 개의 항문에 화살을 집어넣은 소년은 바로 톰 네로(1단계). 나중에 마차꾼으로 성장한 톰은 마차를 끄는 말을 잔인하게 학대하고(2단계), 급기야 앤이라는 젊은 여성을 잔인하게 살인하기에 이른다.(3단계) 톰은 결국 교수형에 처해지고, 그의 시체는 외과의사들에게 보내져 해부당한다.(4단계)

표창원 범죄과학연구소장은 "동물을 이유 없이 학대하는 심리는 가학성을 내포하고 생명체에 대한 존중의식은 결여돼 있다. 이는 언제든지 사람에게도 투영되고 확대될 가능성이 있다"고 지적한다. 동물 학대 성향을 보인 사람들을 제대로 치료하거나 교정하지 않을 경우 심각한 중범죄자가 될 가능성이 큰데, 실제로 유영철이나 강호순 등이 어린 시절 동물이나 곤충에 대한 가학적 성향을 보였다고 한다. 따라서 미국이나 유럽에서는 동물학대를 사람에 대한 것과 같은 차원으로 인식한다. 왜냐하면 동물학대를 예방하는 것이 훗날 발생할 강력 범죄를 억제하는 길이 될 수 있기 때문이다.

● 맹견의 기준?

동물 관련 규정이 허술한 원인 중 하나는 맹견 분류 기준이 모호한 것도 큰 역할을 한다. 맹견 관리에 필요한 안전 수칙이나 행정적 조치는 이 맹견 분류 기준을 근거로 마련되기 때문이다.

다른 나라의 관련법을 살펴보면 맹견 분류 기준이 구체적이어서 안전 수칙 및 견주 자격 요건이나 사고 발생 시 처벌이 엄격하다. 영국은 핏불테리어, 도사견 등 특정 견종을 맹견으로 분류, 법원 허가가 있어야만 키울 수 있다. 이들은 산책시 입마개와 목줄은 물론 중성화 수술도 의무화돼 있다. 반려견이 다른 사람에게 상해를 입힐 것을 대비한 '대인 배상 보험 가입'을 의무화하고 있으며 인명 피해가 발생했을 때 견주는 최대 징역 14년의 처벌을 받게 된다.

독일 또한 맹견을 19종으로 분류해 관리하며, 미국은 입마개와 목줄을 의무화하고 피해 발생 시 1000달러 벌금형 혹은 6개월 이하의 징역으로 처벌한다. 하지만 이 모든 반려동물 관련 요건을 검토하기엔 어려움도 많다. 반려견 외에도 반려동물 범위가 다양해진 만큼 '반려동물의 개념을 어디까지 볼 것인지'에 대한 사회적 합의부터 세부 조항까지 갈 길이 멀다.

● 법만큼 중요한 주인 의식

반려동물 전문가들은 주인들의 '펫티켓(Petiquette)' 제고가 관련법 정비와 함께 이뤄져야 한다고 조언한다. 현실에는 외출 시 목줄, 입마개를 씌우는 기존 법마저 지켜지지 않는 경우도 부지기수. 이번 사건처럼 맹견으로 분류된 견종이 아니더라도 얼마든지 사람을 공격할 수 있는 건 물론, 사고가 일어나도 대수롭지 않게 생각하거나 배상이 제대로 이뤄지지 않는 경우도 많다고.

강형욱 반려동물 전문가는 JTBC '썰전' 2017년 11월 2일자 방송분에 출연, 보호자의 책임을 강조했다. '어떤 사람은 자기 개는 안 문다고 하는데 무는 개가 따로 있냐'는 질문에 "'우리 개는 안 문다'는 자기 강아지에 대한 책임과 관리를 하지 않겠다는 무책임한 말"이라고 답했다. 그러면서 "모든 개는 물 수 있고 모든 개는 물지 않게 관리할 수 있다. 사회화 교육을 통해 돌발 행동을 얼마든지 방지할 수 있다."고도 말했다.

반려동물 안전관리를 위해 무엇보다 중요한 건 반려동물을 사회 구성원으로 인식하는 것. 반려동물과의 공생 문화를 정착시키는 노력이 필요하다.

반복되는 개물림 사고, 문제가 뭘까

처벌 대상인 주인 불분명… 동물보호법에도 맹점 있어

2021년 5월 22일 경기도 ㉠남양주에서 50대 여성이 풍산개와 사모예드 잡종으로 보이는 대형견에 물려 사망하는 사고가 발생했다. 사고 장면이 담긴 영상에 따르면 건물 밖으로 나와 야산 쪽으로 걸어가던 여성이 갑자기 나타난 개와 약 3분간 사투를 벌였다. 이후 여성은 인근 직원에게 발견되어 병원으로 옮겨졌으나 과다출혈로 사망했다.

남양주시에서는 사고 후 개의 주인을 찾기 위해 나섰다. 현행법상 반려견은 '물건'으로 규정되어 있어 개물림 사고가 나면 법적 책임을 지는 주체가 주인이기 때문이다. 그렇다면 주인은 누굴까. 동물보호 단체 카라의 신주운 정책팀장은 해당 개가 주변의 개농장을 탈출한 개일 가능성이 높다는 주장을 제기했다. 그 이유로는 첫째, 목줄을 찬 흔적 주위의 변색 등을 보면 방치되는 사육환경에 놓여 있었을 가능성이 높고, 둘째, 해당 개의 엉덩이 부분이 개농장에서 기르는 개들처럼 더러웠다는 점을 들었다. 인근에 떠도는 다른 개의 몸은 깨끗했다는 것이다. 또 다른 가능성으로는 누군가 버리고 갔을 경우인데, 어떻든 주인으로 밝혀진 이가 법적 책임을 져야 한다는 점에서 주인을 쉽게 찾아내기는 어려울 것으로 보인다.

만약 개농장의 개로 밝혀져도 다른 문제가 있다. 동물보호법 제46조 제1항 제2호에 따르면 개물림에 따른 사망사고가 일어날 경우 주인이 3년 이하의 징역 또는 3000만 원 이하의 벌금에 처해지기는 하지만, 이는 주인이 등록 대상 동물을 동반하고 외출할 때 안전조치 의무를 하지 않은 경우에만 해당한다. 현행 동물보호법 상의 등록대상 동물은 2개월령 이상의 반려목적으로 기르는 개나 펫숍에서 판매되는 개들로, 경비를 목적으로 하거나 공장·시골에서 키우는 '마당개'라 불리는 개들은 동물등록을 하지 않는다. 또 중·대형견이 대다수인 개농장이나 보호소 개도 동물등록 의무 대상이 아니다.

주인이 맹견을 기르는 곳에서 벗어나지 못하게 하는 안전조치 의무를 하지 않아 사람이 사망한 경우에도 처벌 대상이 될 수 있지만, 남양주 사건의 개는 맹견으로 분류되는 종도 아니라 여기에도 해당되지 않는 상황이다. (2021년 7월)

Focus Plus

01 남양주 사고의 개, 안락사 해야 하나

사람을 죽인 남양주 개에 대해 '살인견을 살려둘 수 없다'며 안락사를 찬성하는 측과 개는 잘못이 없다며 안락사 대상이 되면 입양을 하겠다는 측이 팽팽히 맞서고 있다. 많은 누리꾼이 "사람을 해친 개를 살려두는 것은 아닌 것 같다"라는 반응을 보이고 있지만, 일각에서는 "개가 무슨 잘못이냐. 개를 함부로 버린 사람을 처벌해야 한다"라는 반응도 있다.

동물 행동교정 전문가 한국일 교수는 해당 개의 행동을 교정하는 과정에서 똑같은 일이 발생할 가능성이 있다며 안락사에 찬성했다. 행동교정을 통해 사람과 함께 살아갈 수 있는 개들도 있지만, 여성이 아무런 행동도 하지 않았는데 달려든 모습을 보면 공격성이 상당히 강한 것으로 판단, 행동교정이 쉽지 않을 것이라는 의견을 내놨다.

이에 대해 동물보호단체 카라의 신주운 정책팀장은 무조건 안락사시키기보다는 개가 왜, 어떤 상황에서 사람을 물게 되었는지 상황 조사를 확실히 해야 한다는 점을 강조했다.

인근 개농장을 탈출한 개가 맞다면 열악한 환경적 요인으로 과도한 스트레스를 받았을 것이며, 인간에게 적개심을 가질 수밖에 없다는 것이다. 신 팀장은 최후의 경우에도 안락사라는 극단적 조치로 생명을 박탈하기보단 훈련이나 약물치료를 통해 충분히 개선할 부분이 있다고 주장했다. 6월 10일 기준 남양주 사고 개에 대한 안락사 결정은 여전히 나지 않은 상태다.

02 개물림 사고, 어떤 예방책이 필요할까

전문가들은 동물 등록대상의 범위를 지금보다 확대해 반려인의 책임감을 키우고 반려동물의 유실·유기를 조금이라도 더 막아야 한다고 이야기한다. 시골에서는 내장형 동물 등록을 할 수 있는 동물병원이 없는 곳이 많은데, 등록 의무화를 통해 시스템을 구축하고 펫숍 등에서도 쉽게 등록할 수 있게 해야 한다는 것이다. 또한 모든 개농장과 보호소의 동물도 등록 대상에 포함시켜 애초에 방견(들개)이 되는 경우를 방지하고, 사고 발생 시 이력 추적이 가능하게끔 해야 한다고 말한다.

또한 전문가들은 입마개를 하는 개의 범위를 확대해야 한다고 말한다. 현행 동물보호법은 맹견에게만 입마개를 하도록 규정하고 있는데, 이를 공격성이 있는 일반 개들로 확대할 필요가 있다는 주장이다.

관련하여 농림축산식품부는 개를 품종으로 평가하는 것이 아닌 개체별로 관리, 공격성을 판별하는 방법으로 '기질 평가 방안 체계' 도입을 검토 중이다. 기질 평가란 개 물림 사고를 일으키거나 사람을 위협한 개의 공격성을 평가하는 것이다. 평가를 통해 견주에게는 입마개·훈련 이수·안락사 등의 의무를 지우며, 개에 대한 소유권을 제한할 수도 있다.

2021년부터는 맹견보험 가입을 의무화하는 조치도 취해졌다. 그러나 개물림 사고를 예방하려면 더욱 촘촘한 대책이 필요할 것으로 보인다.

03 해외에서는 어떻게 관리, 대처할까

ⓒ해외의 법은 우리보다 훨씬 엄격하다. 영국은 1991년에 이미 '위험견법(Dangerous dogs act)'을 만들었는데, 개가 다른 사람에게 상해를 입히면 5년, 사람이 사망하면 최대 14년까지 견주에게 징역을 선고한다.

미국의 경우 맹견을 기르기 위한 면허제를 시행하고 있다. 맹견을 키울 경우에는 반드시 등록을 한 후 허가를 받아야 하며 맹견 관리세를 납부해야 한다. 개물림에 의해 사람이 사망했을 때 관리 문제가 크다고 판단되면 견주에게 살인죄까지 적용 가능하다.

독일에서도 맹견을 엄격하게 관리한다. 맹견의 종류를 분류해 관리하며 체중 20㎏ 또는 체고 40㎝ 이상의 개는 견주의 자격을 평가한 뒤 사육 허가를 내준다. 핏불테리어처럼 공격성이 높은 개는 수입이나 반입 자체를 금지한다.

냉정하게
분석하기

제시글을 읽고, 질문에 답하며 내용을 파악해봅시다.

(1) ㉠남양주 개물림 사고에서 드러난 문제점은 무엇인가요?

- -

- -

- -

- -

(2) 사람을 죽게 한 살인견에 대한 사후처리 문제는 어떤 양상으로 대립하고 있나요?

- -

- -

- -

- -

(3) 전문가들이 말하는 개물림 사고에 대한 예방대책은 어떤 내용인가요?

- -

- -

- -

- -

(4) ⓒ해외의 법은 우리보다 훨씬 엄격하다에서처럼 해외에서 맹견 관련 처벌이나 세금이 엄격히 적용되는 이유를 무엇이라고 생각하나요?

(5) 만약 여러분이 '펫티켓' 관련법을 정비한다면 어떤 부분을 강조하고 싶은지, 반려동물과 공생 문화를 이뤄나가기 위한 노력은 어떠해야 하는지 의견을 제시해봅시다.

거침없이 쓰기

도전, 짧은 글쓰기!

현행 동물보호법이 가진 문제점들은 무엇인지 짚어보고, 개물림 사고는 예방이 우선인지 사후 처리가 우선인지 그 중요성에 대한 여러분의 생각을 밝혀봅시다. (500자)

든든하게
어휘다지기

다음 빈칸에 알맞은 말을 〈보기〉에서 찾아 적어봅시다.

보기					
	맹점	야산	인근	규정	유실
	유기	내장	상해	반입	엄격

(1) 얼마나 잤는지, 어느덧 해가 먼 서쪽 (　　　) 위로 뉘엿뉘엿 기울어지고 있었다

(2) 불길이 번져 (　　　) 주민들까지 대피하는 소동을 빚었다.

(3) 누구나 (　　　)을 발견했으면 보완하고 개선하는 것이 상책이다.

(4) 요즈음에는 소지품을 (　　　)하고도 신고하는 사람이 드물다.

(5) 프로그램의 (　　　) 방식에 따라 컴퓨터 가격은 천차만별이었다.

(6) 대회의 (　　　)에 따라 금지 약물을 복용한 선수는 탈락하였다.

(7) 그 피고는 길을 가던 행인에게 전치 5주의 (　　　)를 입힌 혐의로 구속되었다

(8) 그는 범행 후 강가에다 사체를 (　　　)했다.

(9) 유해 성분이 검출된 일부 수입 농산물의 국내 (　　　)이 금지되었다.

(10) 자녀를 대할 때 극단적인 관용이나 (　　　)은 피하는 것이 좋다.

위에서 익힌 어휘 중 3개를 골라서 한 문장씩 만들어 봅시다.

(1)

(2)

(3)

memo

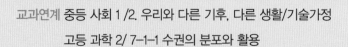

4차시

빙하에 대해
얼마나 알고 있나요?

얼음 나라를 상상하는 일은 동심을 촉발하고 낭만적인 마음도 불러일으킨다.

사람의 발걸음이 닿기 어려우니 미지의 세계로도 다가온다.

하지만 현실적으로 빙하는 그 이상의 의미를 지니고 있다.

가장 순수하게 보존된 지구 역사의 타임캡슐이요, 지구의 체온조절기다.

그리고 지금, 빙하는 기후위기의 바로미터다.

빙하가 지구 전체의 생태계와 인간의 삶에

어떤 영향을 미치는지 알아보았다.

교과연계 중등 사회 1 /2. 우리와 다른 기후, 다른 생활/기술가정

고등 과학 2/ 7-1-1 수권의 분포와 활용

기초상식 북극 vs 남극

북극의 반대가 남극 아니야? 둘다 그냥 엄청 추운 곳 아니야? 빙하가 계속 녹으면 큰일이라던데… 북극엔 북극곰, 남극엔 펭귄이 산다는 건 아는데… 북극과 남극, 막상 아는 게 별로 없지요, 그래서 준비했어요, 북극 vs 남극 기초상식.

● 정확히 어디야?

북극 북극이나 남극이나 그 범위가 명확한 건 아니다. 북극은 북극점을 중심으로 약 2100만㎢에 이르는 지역을 말한다. 이 지역은 대부분 넓은 바다(북극해)로 이루어져 있고 주변 대륙의 일부, 즉 러시아시베리아 등, 미국알래스카, 캐나다, 스칸디나비아노르웨이, 스웨덴, 핀란드, 아이슬란드 일부 지역과 그린란드를 포함한다.

남극 남극은 남위 66.5도 이하 지역을 뜻한다. 지구 남쪽의 찬 바닷물과 북쪽의 따뜻한 바닷물이 만나는 경계인 남극수렴선위도 50~60도 사이 밑으로 구분하기도 한다.

● 북극은 바다고, 남극은 땅이라고?

북극 북극은 대부분 바다로 이루어져 있다. 북극해의 면적은 약 1400만㎢로 지구 전체 바다의 3.3%를 차지한다. 몇 안 되는 빙하는 육지에 자리한다. 북극에서 가장 큰 빙하는 그린란드에 있는데, 남극 빙하에 이어 세계에서 두 번째로 거대한 크기약 171㎢다.

남극 남극은 얼음으로 뒤덮인, 지구에서 다섯 번째로 큰 대륙이다. 넓게는 남위 50~60도까지의 섬과 남극해까지를 포함하기도 한다. 남극 대륙의 98%는 평균 높이가 2000m에 달하는 얼음으로 덮여 있다. 면적은 약 1400만㎢로 지구 전체 육지의 9%인데, 이는 남한의 약 140배다.

: 남극과 북극 지역을 모두 합치면 지구 전체 면적의 10%를 차지한다고. 따라서 지구의 전체적인 환경을 이해하기 위해서는 극 지역을 필수로 알아야겠지?

● 남극이 더 춥고 얼음도 훨씬 많다고?

북극 북극에 존재하는 얼음은 대부분 북극해를 덮고 있는 해빙바닷물이 얼어서 생긴 얼음이다.

이게 물 위를 떠내려가면 유빙(流氷)이라고 부른다. 북극해는 대륙으로 둘러싸인 폐쇄된 바다이 기 때문에 해빙이 잘 움직이지 못하고 머물다가 서로 합쳐져 더 두껍게 얼어붙으며, 일부는 여름 에도 녹지 않게 된다. 북극에서 제일 큰 육상 얼음은 그린란드의 약 80%를 덮고 있는 그린란드 빙하로, 평균 두께가 2100m에 달한다. 세계에서 두 번째로 큰 이 빙하가 녹으면 큰 문제가 생길 수 있다고!

남극 남극의 겨울철 평균 기온은 영하 65도, 최저 기온은 영하 89도까지 내려가기도 한다. 북극 의 최저 기온은 영하 70도. 여름 5~11월에도 남극은 북극보다 추운데, 이는 지형적인 영향이 크 다. 육지는 바다보다 쉽게 데워지고 쉽게 식으니, 대륙으로 이루어진 남극의 기온이 바다로 이루 어진 북극보다 더 많이 내려가는 것. 고도도 3000m 정도로 남극이 북극보다 더 높다. 이렇게 추 우니 전 세계 얼음의 90%가량이 남극에 있다. 남극에서 가장 두꺼운 얼음은 두께가 무려 4776m 라고!?

: 절대적으로 많은 양의 빙하가 남극에 있다니! 지구온난화 때문에 빙하가 녹으면서 생길 위험성 을 따져보려면 남극을 주목해야겠군!

● 누구 땅이야?

북극 지구온난화로 인해 북극해의 해빙이 급속히 녹으면서 북극해 항로가 열리고 있다. 북극해 항로는 북극 자원 개발에 아주 중요하기 때문에, 북극권에 영토를 가진 나라들은 해양 영유권을 더 많이 차지하기 위해 기회를 엿보고 있다. 가장 열을 올리는 건 러시아. 러시아의 북극 지역은 러시아 국내총생산의 20%에 달하는 석유와 천연가스가 나오는 전략적 요충지이기 때문이다.

하지만 진정한 북극의 주인은 바로 그곳에 사는 400만 명 정도의 원주민사미족, 네넷족, 척치족, 이누이트족, 유픽족과 동식물이 아닐까?

남극 남극 대륙에 묻힌 자원을 노리는 국가도 많다. 이에 1959년 미국, 영국, 러시아, 일본 등 12개 국을 중심으로 '남극조약'이 체결되었다. 남극에는 원주민이 살지 않기 때문에 가능했다고. 남극 조약의 주요 내용은 남극의 영토권을 동결하고, 자원개발과 군사 활동을 금지하며 오직 평화적 목적과학 연구 등으로만 남극을 이용하는 것이다. 우리나라도 1986년 여기에 가입했고, 1988년 세종과학기지를 건설했다. 지금은 53개국이 가입해 있는데, 그중 자문회원국29개국이 매년 '남극 조약 자문 회의'를 통해 남극 지역의 운영과 관리를 논의하고 있다.

빙하에 대해
얼마나 알고 있나요?

01 호모 사피엔스, 빙하 덕에 전 세계로 퍼지다

　인류의 조상 호모 사피엔스가 아프리카에서 발원했다는 '아프리카 기원설'은 인류학에서 정설로 받아들여진다. 인류는 어쩌다 아프리카라는 요람에서 벗어나 전 세계로 거주지를 옮기게 되었을까? 그 이유는 지구에 ㉠빙하기가 도래한 것과 깊이 연관돼 있다.

　지구는 태양 주위를 공전하며, 자전한다. 이 공전 궤도와 자전축 기울기는 세월이 흐르며 조금씩 변화한다. 이에 따라 지구가 태양을 비스듬히 바라보는 시기와 똑바로 마주하는 시기가 반복된다. 지구의 공전 궤도와 자전축이 기울어 지구가 태양에너지를 얼마 못 받으면 지표면이 얼어붙어 빙하기를 맞게 되고, 태양에너지를 정면으로 받으면 날씨가 풀려 생명이 번성하는 간빙기가 온다. 지구의 나이는 약 45억 살. 이 기간 동안 40~50차례에 걸쳐 빙하기와 간빙기가 번갈아 왔다.

　호모 사피엔스가 아프리카에서 발원한 시기는 지금으로부터 20만 년 전으로 간빙기였다. 인류는 이때 온난한 날씨를 누리며 아프리카의 우거진 숲에서 풍부한 식량을 양껏 구할 수 있었다. 그야말로 황금시대였다. 하지만 약 11만 년 전, 지구는 또다시 빙하기를 맞게 됐다. 하얀 빙하가 태양 빛을 반사해 지구 기온을 훌쩍 내려 얼음 지대가 늘고, 늘어난 면적만큼 더 많은 햇빛을 반사하는 일이 되풀이되면서 기온이 급속도로 낮아졌다. 약 6만 년 전에는 육지 면적의 3분의 1이 빙하로 뒤덮였고, 지구 평균 기온이 현재보다 8도나 내려갔다. 빙하기의 절정이었다.

빙하기가 닥치자 지구의 온도가 급격히 떨어지면서 바다에서 증발하는 물의 양이 크게 줄었고, 자연히 강수량이 감소했다. 에덴동산 같던 아프리카의 숲은 건조한 초원지대로 변해버렸다. 식수와 식량을 더 이상 구할 수 없게 된 것이다. 낙원을 잃은 인류의 조상은 추위와 허기를 피하기 위해 아프리카를 떠났다. 마침 바닷물이 얼어붙어 대륙과 대륙을 잇는 땅이 드러나 유럽으로, 아시아로, 아메리카로 멀리멀리 나아갈 수 있었다. 이들은 일 년에 고작 0.5㎞ 정도의 느린 속도로 이동했지만, 마침내 남극을 제외한 모든 대륙에 안착했다. 이처럼 빙하는 인류의 삶과 함께 해왔다.

02 빙하 코어, 지구의 일기장을 찾아 연구하기

몇만, 몇십만, 몇백만 년 전의 기후를 어떻게 알 수 있을까? 극지방의 얼음 안에 이 비밀을 풀어줄 단서가 있다. 빙하는 겹겹이 쌓인 눈이 얼어붙으면서 만들어졌다. 먼저 쌓인 아래쪽 눈이 압력을 받으면 시간이 지나면서 빙하가 된다. 이 얼음에는 눈이 축적될 당시의 공기, 먼지, 화학 물질 등이 보존돼 있다. 이 성분을 분석하면 기후 변화뿐 아니라 화

빙하를 만드는 또 다른 원인, 이산화탄소 농도 감소

태양에너지 편차 외에 이산화탄소 농도 감소 역시 빙하를 생성하는 요인이다. 히말라야 산맥 등 지구의 높은 지형들은 수천만 년에 달하는 시간 동안 차츰 바람과 비에 침식된다. 산비탈이 깎여 나가며 암석이 잘게 쪼개지는데, 이때 돌들이 부식되면서 이산화탄소를 끌어안고 풍화 작용 해저로 가라앉는다. 대기 중 이산화탄소가 돌에 갇혀 바다 밑에 차곡차곡 쌓이는 것이다. 이렇게 지구를 보온하던 이산화탄소가 야금야금 줄어 기후가 한랭해졌고, 빙하가 만들어졌다.

산 활동 시기, 사막화가 진행된 시기, 지구에 유성, 초신성이 떨어진 시기 등을 파악할 수 있다.

남극과 북극 빙하의 평균 두께는 각각 1600m와 2000m. 빙하를 조사하려면 깊게 구멍을 뚫어 안쪽의 얼음을 캐내야 하는데, 그 깊이에 따라 천부200m 이내, 중부500m 이내, 심부1000m 이상로 나뉜다. 우리나라는 천부 빙하시추 기술을 보유하고 있다. 이렇게 캐낸 원통 모양의 얼음을 빙하 코어(glacial core)라고 한다. 인간이 시추한 가장 오래된 빙하는 2004년 남극에서 캐낸, 3270m 깊이에 있던 74만 년 전의 얼음이다.

ⓛ빙하 코어를 지구의 타임캡슐, 지구탐험의 나침반이라고 부르는 이유는 빙하 속 얼음으로 지구의 역사를 살펴볼 수 있기 때문이다. 가장 유용하게 쓰이는 분야는 기후학이다. 얼음 속 공기 방울을 분석하면 기후 변화를 알 수 있다. 기후과학자들은 산업화로 인한 인간의 활동이 지구를 뜨겁게 달구고 있다고 경고한다. 빙하 코어를 연구한 결과 1750년을 전후해서 공기 방울의 탄소 농도가 급격히 높아진 것을 알 수 있었기 때문이다. 영국을 필두로 산업혁명이 시작될 무렵이다. 현재 빙하 표면의 이산화탄소 농도는 1750년에 비해 대략 30% 증가했고, 메탄가스의 농도도 170%가량 늘어났다. 대기 환경이 이렇게 단기간에 변한 사례는 없다고 한다.

빙하 코어로 기후 변화를 연구하기 시작한 것은 1950년대였다. 이후 세계 각국의 과학자가 그린란드와 남극에서 빙하 코어 자료를 수집해 연구를 진행 중이다. 특히 남극의 경우 사람이 거의 살지 않는 땅이라 오염이 적어 지구에서 일어난 사건이 전부 기록돼 있다. 우리나라는 1990년대 말부터 빙하 코어 연구를 시작했다.

"빙하는 지구의 일기와도 같아요. 손실되지 않은 일기장을 찾기 위한 사전연구부터 시작하죠. 시추 작업을 마친 후에는 빙하 속 세밀하게 남겨진 기록들을 잘 읽어내야 합니다. 지난 기록을 통해 앞으로 우리가 지구환경 보호를 위해 어떤 노력과 계획을 세워야 하는지도 알아낼 수 있죠." 한영철 박사

03 얼음이라고 다 같지 않아, 빙하와 해빙은 다르다.

빙하 여행을 위해서라면 극지방에 대한 정보를 빼놓을 수 없다. 보통 극지방이라고 하면 남극보다는 북극이 더 친숙하다. 북극곰, 이누이트족의 이글루, 알래스카 원주민 일화 등. 그런데 사실 북극에는 빙하가 별로 없다. 어라, 이게 무슨 소리지? 여윌 대로 여윈 북극곰이 빙하에 위태롭게 서 있는 모습은 대체 뭐란 말인가?

북극곰이 서 있는 얼음은 빙하가 아니라 해빙이다. 해빙은 바닷물이 얼어 만들어진 얼음덩어리다. 생성 초기에는 짠물 얼음이지만, 시간이 지나며 소금기를 점점 배출해 염도가 낮아진다. 그래서 오래된 해빙은 민물 얼음과 유사하다. 반면 빙하는 육지에 내린 눈이 켜켜이 쌓여 형성된, 태생부터 민물 얼음이다. 북극 풍경을 통해 보는 얼음은 대개 해빙이고, 빙하는 아주 적다.

빙하 면적으로 따져보면 남극과 북극은 비교할 바가 못 된다. 남극은 지구 전체 육지의 9%를 차지하는데 이 대륙의 98%가 빙하다(남극 면적 약 1400㎢). 반면 북극은 전체 면적이 약 2100㎢인데 이 중 1400㎢가 북극해로, 겨울철에는 대부분 얼어붙어 해빙이 된다. 여름에는 얼음이 녹아 해빙 면적이 30%가량으로 축소된다. 북극의 빙하는 대개 그린란드에 있는데, 그린란드 빙하는 세계에서 두 번째로 크다. 약 171㎢.

북극의 해빙과 빙하를 구분하는 일은 왜 중요할까? 해빙의 두께는 2~5m 정도로, 보통 1000m가 넘는 빙하와 비교하면 얇다. 얼어붙은 물의 양이 적으니 빙하보다 해수면을 상승시킬 위험이 적다. 또 소금기를 지닌 해빙(전체 해빙의 70%)은 바다와 성질이 비슷해 설령 녹더라도 해양의 염도를 크게 낮추지 않는다. 그렇다면 해빙은 녹아도 상관없을까? 그건 아니다. 해빙은 바다가 뜨겁게 달아오르지 않도록 온도를 조절한다. 대기에 유입되는 수분의 양을 줄여 북극권에서 거대 폭풍우가 형성되는 일을 막고, 빙하와 마찬가지로 태양열을 우주로 반사한다. 또 북극곰과 물범, 바다표범 등 해빙에서 살아가는 동물들의 삶의 터전이 되어준다. 북극의 해빙을 소중하게 지켜야 하는 이유다.

04 진정한 빙하의 보고, 남극

ⓒ남극은 빙하의 터전답게 지구상에서 제일 추운 지역이다. 평균 연간 기온이 여름철 영하 28도, 겨울철 영하 65도 정도다. 이곳에서 기록된 최저 기온은 1983년 러시아 보스토크 기지에서 측정한 영하 89.6도이다. 남극에는 지구상 빙하의 약 90%가 있다. 디즈니의 히트작 〈겨울 왕국〉은 노르웨이를 배경으로 하는데, 진정한 겨울 왕국을 보여주고 싶었다면 남극을 무대로 삼는 편이 좋았을 것이다.

이 신비한 얼음 지대는 과학자들의 관심을 한몸에 받고 있다. 1890년대까지 인간의 발자취가 닿지 않았던 곳이라 지구의 역사를 고스란히 담은 지질·기후변화 자료가 가득하다. 빙하 밖으로 드러난 토양에서는 고생대 삼엽충이나 중생대 식물, 공룡 화석과 초기 조류의 뼈 등이 풍부하게 발견된다.

남극의 빙하 밑에는 해양 생태계를 유지하는 생명체가 숨어 있다. 각종 녹조와 미생물이다. 빙하가 따가운 햇빛을 가려주니 유기물이 그 아래서 자라난 것이다. 크릴새우는 빙하 밑의 유기물을 먹고 번식한다. 크릴새우의 개체 수는 약 500조 마리에 달하는데, 남극 바다에서 살아가는 고래, 물개, 펭귄들이 크릴을 주 먹이로 삼는다. 따라서 빙하가 줄어들면 극지방의 생태계도 흔들린다.

지구상에서 제일 이질적인 지역인 만큼 특이한 지형도 발견된다. 얼음 밑에 자리한 신기한 호수, 빙저호 빙하 밑 호수가 대표적이다. 모든 게 얼어붙는 남극이지만 호수 표면의 두꺼운 얼음이 단열 효과를 하여 물이 흐를 수 있는 것. 남극에 빙저호가 생성된 시기는 약 1100만 년 전으로 추정된다. 호수 내부는 유기물이 부족하고 산소 농도가 과도한 데다 극도로 차가워 생명체가 살기에 적합하지 않다. 그런데 2013년 남극의 윌런스 빙저호에서 살아가는 박테리아가 확인됐다. 심해나 우주 등 극한 환경에서도 생명체가 존재할 수 있다는 가능성과 상상력을 일깨우는 일이다.

실제로 남극은 우주처럼 어느 국가에도 속하지 않는다. 20세기 중반까지 호주, 뉴질랜드, 칠레, 아르헨티나, 영국, 프랑스, 노르웨이 7개국은 남극에 대한 영토권을 주장했다.

그러던 중 1957년 소련이 인류 최초의 인공위성 스푸트니크를 발사했다. 이때 남극을 우주처럼 인류가 공동으로 활용하는 공간으로 만들자는 논의가 나왔고, 1959년 남극조약이 체결됐다.

05 빙하, 지구의 체온을 조절하는 막중한 임무를 맡다

극지방의 거대한 얼음덩어리가 생태계와 환경유지에 어떤 역할을 하는지 쉽게 체감하기는 어렵다. 하지만 빙하가 지구의 체온(온도)을 조절하는 막중한 임무를 맡고 있음을 알면 빙하의 중요성을 새삼 깨닫게 될 것이다.

빙하 지대는 지구 육지의 10%를 차지한다. 10%의 육지가 일제히 하얗게 빛나며 태양열을 우주로 되돌려 보내는 장면을 상상해 보자. 빙하 위의 건조한 눈은 태양 빛을 80~90% 반사한다. 육지의 태양에너지 반사율이 15~25%인 것과 비교하면 마법 수준이다. 해빙의 태양에너지 반사율도 60% 정도로 높다. 일반적으로 바다의 햇빛 반사율은 고작 6%에 불과하다.

빙하가 지구상에서 사라지면 어떻게 될까? 태양에너지를 충분히 반사하지 못하고 태양열이 축적돼 지구 평균 온도가 27도 정도로 치솟을 것으로 예견된다. 현재 지구의 평균 온도는 15도. 보통 지구 온도가 1도 올라가면 지구 곳곳에 가뭄이 들고 킬리만자로의 만년빙이 사라지며, 기록적인 폭염, 폭우, 미세먼지 등 기상 이변이 속출할 것으로 예상한다. 2도가 오르면 그린란드 빙하가 녹아 해수면이 상승해 북극곰을 비롯한 북극 생물이 멸종한다. 12도가 올라가면 어떤 일이 벌어질지 상상 불가다.

빙하는 해류의 순환도 촉진한다. 물은 수온이 낮고 염분이 많을수록 무거워져 밑으로 가라앉고, 수온이 높고 염분이 적을수록 가벼워져 위로 뜬다. 바닷물도 마찬가지다. 적도 부근의 바다는 태양광을 듬뿍 받아 물이 증발돼 염도가 높다. 이 적도의 해류가 위아래로 섞이면서 북쪽으로 올라가서 북극의 빙하와 해빙 사이를 지나가며 냉기를 얻어 차가워진다.

여기에 빙하에서 흘러나온 물이 일부 섞여 염도가 낮아진다. 다시 성분이 변한 해류는 여러 갈래로 나뉘어 남쪽으로 이동한다. 지구를 한 바퀴 도는 것이다. 해류의 순환은 추위와 열을 적절히 재분배해 다양한 식생과 인간이 살기 적합한 환경을 조성한다.

툰드라의 동토층도 지구의 체온을 조절하는 역할을 톡톡히 한다. 툰드라에서 살던 동식물이 죽으면 그대로 얼음 속에 파묻힌다. 이때 사체로부터 나오는 이산화탄소와 메탄도 함께 얼음 속에 봉인된다. 동토층 아래 잠들어 있는 이산화탄소와 메탄의 양은 대기 중 탄소량의 2배에 달한다. 만일 동토층이 녹아내린다면 탄소가 다량 방출돼 지구온난화는 더욱 빨리 진행될 것이다. 어떤가, 빙하의 임무가 막중하지 않은가.

06 위기의 빙하, 기후 재앙으로 돌아와

북극 빙하가 사라질 것이라는 위기감이 그 어느 때보다 높다. 북극은 남극보다 기후가 따뜻하고, 인간이 활동하는 지역이라 지구온난화의 영향을 더 많이 받는다. 세계에서 두 번째로 큰 북극의 그린란드 빙하는 현존하는 모든 빙하 중에서 가장 빠르게 소멸하고 있다. 2019년에만 5000억t 넘게 녹았고, 그 여파로 북극 해수면은 두 달 만에 2.2㎜ 상승했다. 과학자들은 지구의 해수면이 10㎜ 올라갈 때마다 인구 600만 명이 홍수 등 기후 재난에 시달릴 것이라 말한다. 만일 그린란드 빙하가 다 녹으면 해수면이 무려 6m가량 상승해 전 세계 해안 도시가 물에 잠길 것이다. 가늠하기 어려운 기후 재앙이다.

북극의 해빙은 바닷물이 따뜻해지면 그 영향으로 빙하보다 빨리 녹는다. 1979년 위성 측정이 시작된 이후 현재까지 북극 해빙의 면적은 40%, 얼음의 양은 70% 줄어들었다. 이 추세면 2050년 무렵 북극의 여름철 해빙이 완전히 사라질 수 있다는 비관적인 분석이 나온다. 북극곰과 바다표범 등 해빙을 삶의 터전 삼는 동물들의 개체수는 이미 크게 줄었다. 특히 멸종 위기에 처한 북극곰은 배고픔을 견디다 못해 동족을 잡아먹는 지경까지 내몰렸다.

더 두껍고 단단한 남극의 대륙 빙하는 온난화를 견뎌낼 수 있을까? 남극의 빙하 또한 지난 25년 동안 해마다 평균 1100억t이 사라졌다. 특히 2007년 이후 남극 빙하의 연평균 감소량은 1940억t으로, 이전 470억t보다 4배나 많은 얼음이 유실되고 있다.

지난 20년간 지구의 해수면은 약 20㎜ 상승했다. 국제 기후변화 단체 '클라이밋 센트럴(Climate Central)'은 빙하가 이 추세로 계속 녹는다면 2050년 전 세계 3억 명의 거주지가 침수될 것이라고 발표했다. 우리나라의 경우 국토 5% 이상이 수몰되고, 332만 명이 침수로 삶의 터전을 잃게 된다. 이미 남태평양 섬나라 국가들은 나라 전체가 수몰될 위기에 처해 있다. 국토 대부분이 해발 2m 전후에 불과한 섬나라 키리바시는 2014년 이웃나라 피지의 땅 일부를 구입해 국민 이주 정책을 수립하기 시작했다.

07 빙하 속에서 도사리는 위험, 바이러스와 핵 폐기물

빙하는 수천만 년 동안 동결하며 시대별 지구의 공기, 화학 물질, 화석 등을 품어왔다. 그런데 이 얼음 안에는 지질 자료만 있는 게 아니라 고대 바이러스와 세균 또한 부활을 꿈꾸며 잠들어 있다. 2016년, 러시아 시베리아에서 12세 소년이 탄저병으로 목숨을 잃었다. 동네 주민 8명도 탄저균 감염 판정을 받았고, 인근에 살던 순록 2만 마리도 같은 병으로 숨졌다. 이 지역에서 탄저병이 마지막으로 유행한 건 1941년. 갑자기 전염병이 재유행한 원인은 뭐였을까?

과학자들은 그 원인으로 시베리아 툰드라의 영구동토층에 묻혀 있던 순록의 사체를 지목했다. 1941년 탄저병 유행 당시 균에 감염된 순록의 사체가 영구동토층에 묻혔는데, 지구온난화로 얼음이 녹으며 사체가 드러난 것. 자연히 탄저균도 세상 밖으로 나오게 됐다. 몇몇 바이러스와 세균은 빙하 속에서 10만 년 이상 동결 상태로 버틸 수 있다. 만일 인류가 모르는 치명적인 바이러스가 빙하에서 풀려나면 어떻게 될까?

아직 빙하 속에 얼마나 위험한 바이러스와 세균이 있을지 명확히 규정되지 않았으니 너무 공포에 떨 필요는 없다. 하지만 빙하 밑에는 아주 ⓔ실질적인 위협이 도사리고 있다. 바로 핵폐기물이다.

냉전 시대였던 1959년, 미국은 그린란드 빙하 북서부에 굴을 파서 '캠프 센추리(Camp Century)'라는 비밀기지를 건설했다. 이곳은 미군이 러시아를 견제하기 위해 핵탄두 개발 실험을 한 곳으로 밝혀졌다. 캠프 센추리가 폐쇄된 1966년, 미군은 핵폐기물과 디젤 찌꺼기를 비롯해 방사능에 오염된 냉각수 2400만 ℓ 를 빙하 밑에 묻어두고 떠났다. 거대한 얼음이 영원히 녹지 않으리라 굳게 믿고서.

현재 그린란드 빙하의 해빙 속도가 빨라지고 있으니 캠프 센추리와 관련한 대책을 당장 세워야 한다. 과학자들은 100년 뒤면 캠프 인근 빙하가 녹아내려 핵폐기물이 드러날 수 있다고 경고한다. 방사성 입자들은 매우 가벼워 빙하에서 나온 즉시 바람을 타고 바다로 흘러 들어가 세계 곳곳으로 퍼질 수 있다. 미국 항공우주국(NASA)은 빙하를 레이더로 스캔해 폐기물이 적재된 위치를 찾아냈지만 국제적 대응책이 아직 논의되지 않고 있다. 빙하가 사라지면 더불어 인류의 미래도 사라질 수 있다는 경각심이 절실히 필요하다.

냉정하게
분석하기

제시글을 읽고, 질문에 답하며 내용을 파악해봅시다.

(1) 인류의 이동과 지구의 ㉠빙하기 도래는 어떤 연관성을 가지고 있나요?

(2) ㉡빙하 코어를 통해 우리가 알 수 있는 정보는 무엇인가요?

(3) 지구상에서 제일 추운 지역인 ㉢남극이 과학자들의 관심을 한몸에 받고 있는 이유
는 무엇인가요?

(4) 빙하의 존재는 지구의 생태계를 유지하는 일과 어떻게 연관되어 있나요?

(5) 지구온난화의 영향을 받은 극지방의 빙하유실은 지구에 어떤 결과를 초래하게 되는지 설명해봅시다.

(6) 빙하가 가진 지구의 역사 정보 외에도 냉전 시대를 관통하며 '실질적인 위협'으로 남아 있는 이유는 무엇이라고 경고하고 있나요?

거침없이 **쓰기**

<u>도전, 짧은 글쓰기!</u>

빙하의 존재로 알 수 있는 지구의 역사와 빙하의 유용성에 대해 설명하고, 빙하가 녹으면 지구의 생명력에 어떤 영향을 끼치게 되는지 두 가지로 나누어 설명해봅시다. (500자)

든든하게 **어휘다지기**

다음 빈칸에 알맞은 말을 〈보기〉에서 찾아 적어봅시다.

보기	발원	도래	축적	시추	체결	체감
	동토	여파	추세	수몰	경각심	

(1) 혼인 연령이 늦어지는 것은 남녀 불문의 (　　　)인 것 같다.

(2) 서구 문물의 (　　　)는 우리의 생활 습관을 크게 바꾸어 놓았다.

(3) 두 나라는 무기 감축에 대한 협정을 (　　　)했다.

(4) 항상 예기치 못한 자연재해에 대한 (　　　)을 늦춰서는 안 된다.

(5) 태어나서 자란 고향 마을이 댐의 건설로 (　　　)될 처지에 놓여 있다.

(6) 바람이 불면 (　　) 온도는 더 낮아진다.

(7) 전란이 장기화되어 가자 시민들은 전란의 (　　　)가 자기들 생활에까지 끼어든 것을 깨달았다.

(8) 봄이 오면 (　　)가 녹고 나무가 새싹을 틔우겠지.

(9) 우리 회사는 현지 정부의 인가를 얻어 석유 (　　　)를 시작하였다.

(10) 하루 이틀의 시간이 (　　)되어서 세월이 된다.

(11) 동학 농민 운동은 그 (　　　)이 전라도 고부군이지만, 그 세력이 점차 전국으로 퍼지게 되었다.

위에서 익힌 어휘 중 3개를 골라서 한 문장씩 만들어 봅시다.

(1)

(2)

(3)